똑 똑 한

하루
수학

6·2

> 배우고 때로 익히면
> 또한 기쁘지 아니한가.
> - 공자 -

주별 Contents

똑똑한 하루 수학

이 책의 특징

도입 이번 주에는 무엇을 공부할까?

이번 주에 공부할 내용을 만화로 재미있게!

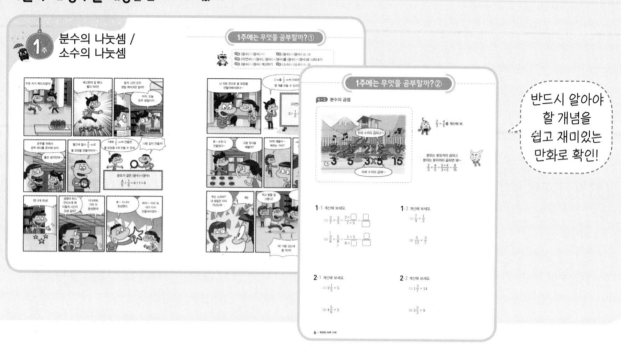

반드시 알아야 할 개념을 쉽고 재미있는 만화로 확인!

개념 완성 개념·원리 확인

교과서 개념을 만화로 쏙쏙!

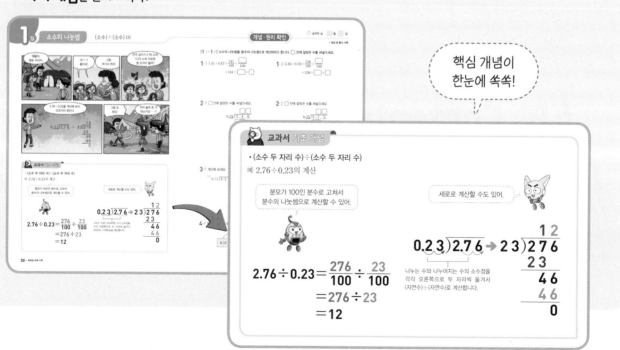

핵심 개념이 한눈에 쏙쏙!

교과서 기초 개념

• (소수 두 자리 수)÷(소수 두 자리 수)

예 2.76÷0.23의 계산

분모가 100인 분수로 고쳐서 분수의 나눗셈으로 계산할 수 있어.

$$2.76 \div 0.23 = \frac{276}{100} \div \frac{23}{100}$$
$$= 276 \div 23$$
$$= 12$$

세로로 계산할 수도 있어.

$$0.23)\overline{2.76} \rightarrow 23)\overline{276}$$

나누는 수와 나누어지는 수의 소수점을 각각 오른쪽으로 두 자리씩 옮겨서 (자연수)÷(자연수)로 계산합니다.

$$\begin{array}{r} 1\,2 \\ 23)\overline{276} \\ \underline{23} \\ 46 \\ \underline{46} \\ 0 \end{array}$$

4주 완성 스케줄표

공부한 날		주	일	학습 내용
월 일		**1주**	도입	1주에는 무엇을 공부할까?
			1일	(분수)÷(분수) (1), (2)
월 일			2일	(분수)÷(분수) (3), (4)
월 일			3일	(자연수)÷(분수), (분수)÷(분수)를 (분수)×(분수)로 나타내기
월 일			4일	(분수)÷(분수) 계산하기
			5일	(소수)÷(소수) (1), (2)
월 일			평가 / 특강	누구나 100점 맞는 테스트 / 창의·융합·코딩
월 일		**2주**	도입	2주에는 무엇을 공부할까?
			1일	(소수)÷(소수) (3), (4)
월 일			2일	(자연수)÷(소수) (1), (2)
월 일			3일	몫을 반올림하여 나타내기, 나누어 주고 남는 양 알아보기
월 일			4일	어느 방향에서 보았는지 알아보기, 쌓은 모양과 쌓기나무의 개수 알아보기 (1)
			5일	쌓은 모양과 쌓기나무의 개수 알아보기 (2), (3)
월 일			평가 / 특강	누구나 100점 맞는 테스트 / 창의·융합·코딩
월 일		**3주**	도입	3주에는 무엇을 공부할까?
			1일	쌓은 모양과 쌓기나무의 개수(4), 여러 가지 모양 만들기
월 일			2일	비의 성질, 간단한 자연수의 비로 나타내기
월 일			3일	비례식, 비례식의 성질
월 일			4일	비례식 활용하기, 비례배분
			5일	원주와 지름의 관계, 원주율
월 일			평가 / 특강	누구나 100점 맞는 테스트 / 창의·융합·코딩
월 일		**4주**	도입	4주에는 무엇을 공부할까?
			1일	원주와 지름 구하기, 원의 넓이를 어림하기
월 일			2일	원의 넓이를 구하는 방법, 여러 가지 원의 넓이
월 일			3일	원기둥, 원기둥의 전개도
월 일			4일	원뿔, 구
월 일			5일	여러 가지 모양 만들기 / 원기둥, 원뿔, 구의 비교
			평가 / 특강	누구나 100점 맞는 테스트 / 창의·융합·코딩

공부한 날을 표시하고 하루하루 학습 내용을 살펴보세요.

Chunjae
Maketh
Chunjae

▼

기획총괄	박금옥
편집개발	윤경옥, 박초아, 조선현, 김연정,
	김수정, 김유림, 남태희
디자인총괄	김희정
표지디자인	윤순미, 안채리
내지디자인	박희춘, 이혜미
제작	황성진, 조규영

발행일	2021년 3월 1일 초판 2022년 6월 1일 2쇄
발행인	(주)천재교육
주소	서울시 금천구 가산로9길 54
신고번호	제2001-000018호
고객센터	1577-0902

기초 집중 연습

반드시 알아야 할 문제를 반복하여 완벽하게 익히기!

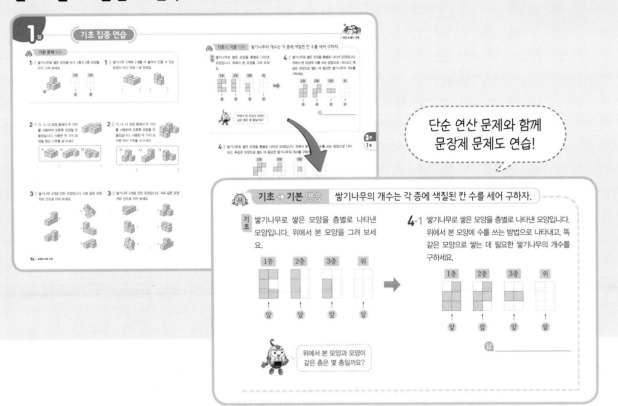

단순 연산 문제와 함께
문장제 문제도 연습!

평가 + 창의·융합·코딩

한 주에 배운 내용을 테스트로 마무리!

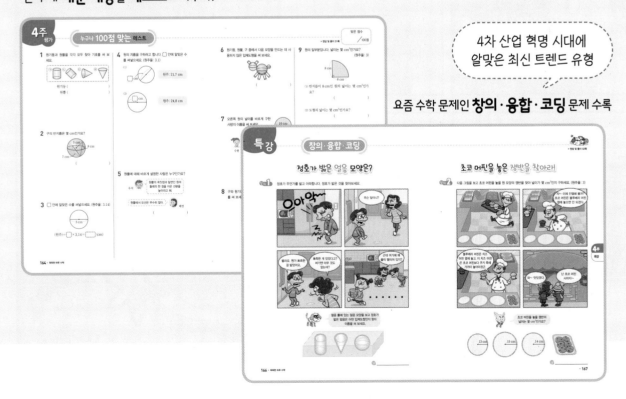

4차 산업 혁명 시대에
알맞은 최신 트렌드 유형

요즘 수학 문제인 **창의·융합·코딩** 문제 수록

분수의 나눗셈 /
소수의 나눗셈

분모가 같은 (분수)÷(분수)

$$\frac{4}{5}÷\frac{1}{5}=4÷1=4$$

1주에는 무엇을 공부할까? ①

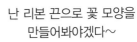

5-2 분수의 곱셈

$\dfrac{2}{3} \times \dfrac{4}{5}$ 를 계산해 봐.

분모는 분모끼리 곱하고
분자는 분자끼리 곱하면 돼~
$\dfrac{2}{3} \times \dfrac{4}{5} = \dfrac{2 \times 4}{3 \times 5} = \dfrac{8}{15}$

1-1 계산해 보세요.

(1) $\dfrac{2}{7} \times \dfrac{3}{5} = \dfrac{2 \times \boxed{}}{7 \times 5} = \dfrac{\boxed{}}{\boxed{}}$

(2) $\dfrac{\overset{1}{3}}{8} \times \dfrac{5}{\underset{3}{9}} = \dfrac{1 \times 5}{8 \times \boxed{}} = \dfrac{\boxed{}}{\boxed{}}$

1-2 계산해 보세요.

(1) $\dfrac{7}{9} \times \dfrac{1}{2}$

(2) $\dfrac{5}{12} \times \dfrac{3}{7}$

2-1 계산해 보세요.

(1) $2\dfrac{1}{5} \times 5$

(2) $4\dfrac{5}{6} \times 3$

2-2 계산해 보세요.

(1) $1\dfrac{3}{7} \times 14$

(2) $3\dfrac{2}{3} \times 9$

6-1 분수의 나눗셈

(자연수)÷(자연수)를 분수로 나타낼 수 있어?

나누어지는 수는 분자에, 나누는 수는 분모에 쓰면 돼.
$3 \div 5 = \dfrac{3}{5}$ 이지~

3-1 나눗셈의 몫을 분수로 나타내세요.

(1) $5 \div 7 = \dfrac{\square}{\square}$

(2) $9 \div 2 = \dfrac{\square}{\square}$

3-2 나눗셈의 몫을 분수로 나타내세요.

(1) $8 \div 11$

(2) $4 \div 5$

(3) $7 \div 9$

4-1 계산해 보세요.

(1) $\dfrac{3}{4} \div 2 = \dfrac{3}{4} \times \dfrac{1}{\square} = \dfrac{\square}{\square}$

(2) $1\dfrac{1}{2} \div 5 = \dfrac{\square}{2} \times \dfrac{1}{\square} = \dfrac{\square}{\square}$

4-2 계산해 보세요.

(1) $\dfrac{4}{7} \div 3$

(2) $2\dfrac{2}{5} \div 7$

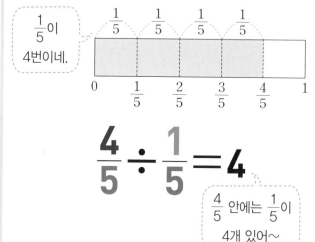

교과서 기초 개념

- **분모가 같은 (진분수)÷(단위분수)**

예) $\dfrac{4}{5} \div \dfrac{1}{5}$ 의 계산

1. 그림으로 알아보기

$\dfrac{1}{5}$이 4번이네.

$$\dfrac{4}{5} \div \dfrac{1}{5} = 4$$

$\dfrac{4}{5}$ 안에는 $\dfrac{1}{5}$이 4개 있어~

2. 단위분수의 개수로 알아보기

① $\dfrac{4}{5}$ 는 $\dfrac{1}{5}$ 이 ④개

② $\dfrac{1}{5}$ 은 $\dfrac{1}{5}$ 이 ①개

→ $\dfrac{4}{5} \div \dfrac{1}{5} = 4 \div 1 = $ ❶

참고
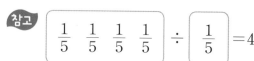

정답 ❶ 4

1-1 그림을 보고 ☐ 안에 알맞은 수를 써넣으세요.

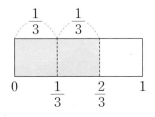

$$\rightarrow \frac{2}{3} \div \frac{1}{3} = \boxed{}$$

1-2 그림을 보고 ☐ 안에 알맞은 수를 써넣으세요.

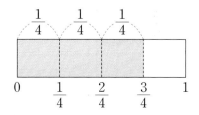

$$\rightarrow \frac{3}{4} \div \frac{1}{4} = \boxed{}$$

2-1 $\dfrac{5}{6} \div \dfrac{1}{6}$ 을 계산해 보세요.

$$\frac{5}{6} 는 \frac{1}{6} 이 \boxed{} 개$$

$$\frac{1}{6} 은 \frac{1}{6} 이 \boxed{} 개$$

$$\rightarrow \frac{5}{6} \div \frac{1}{6} = \boxed{} \div \boxed{} = \boxed{}$$

2-2 $\dfrac{4}{7} \div \dfrac{1}{7}$ 을 계산해 보세요.

$$\frac{4}{7} 는 \frac{1}{7} 이 \boxed{} 개$$

$$\frac{1}{7} 은 \frac{1}{7} 이 \boxed{} 개$$

$$\rightarrow \frac{4}{7} \div \frac{1}{7} = \boxed{} \div \boxed{} = \boxed{}$$

3-1 ☐ 안에 알맞은 수를 써넣으세요.

$$\frac{3}{11} \div \frac{1}{11} = \boxed{} \div \boxed{} = \boxed{}$$

3-2 ☐ 안에 알맞은 수를 써넣으세요.

$$\frac{7}{15} \div \frac{1}{15} = \boxed{} \div \boxed{} = \boxed{}$$

4-1 계산해 보세요.

(1) $\dfrac{5}{8} \div \dfrac{1}{8}$

(2) $\dfrac{7}{12} \div \dfrac{1}{12}$

4-2 계산해 보세요.

(1) $\dfrac{9}{10} \div \dfrac{1}{10}$

(2) $\dfrac{7}{16} \div \dfrac{1}{16}$

1주
1일

2도막이야~

$$\frac{4}{5} \div \frac{2}{5} = 4 \div 2 = 2$$

분모가 같으므로 분자끼리
나누면 2입니다.

🐼 **교과서 기초 개념**

• 분자끼리 나누어떨어지는 분모가 같은 (진분수)÷(진분수)

⑩ $\frac{4}{5} \div \frac{2}{5}$의 계산

1. 그림으로 알아보기

$\frac{2}{5}$가
2번이네.

	$\frac{2}{5}$	$\frac{2}{5}$	

0     $\frac{4}{5}$ 1

$$\frac{4}{5} \div \frac{2}{5} = 2$$

$\frac{4}{5}$ 안에는 $\frac{2}{5}$가
2개 있어~

2. 단위분수의 개수로 알아보기

① $\frac{4}{5}$는 $\frac{1}{5}$이 ④개

② $\frac{2}{5}$는 $\frac{1}{5}$이 ②개

→ $\frac{4}{5} \div \frac{2}{5} =$ ④$\div$② $=$ ❶

참고 $\boxed{\frac{2}{5} \quad \frac{2}{5}} \div \boxed{\frac{2}{5}} = 2$

정답 ❶ 2

1-1 그림을 보고 ☐ 안에 알맞은 수를 써넣으세요.

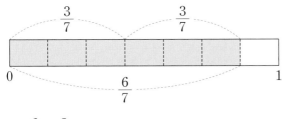

→ $\dfrac{6}{7} \div \dfrac{3}{7} = $ ☐

1-2 그림을 보고 ☐ 안에 알맞은 수를 써넣으세요.

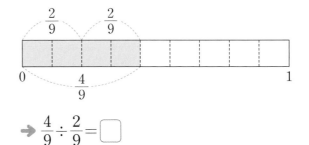

→ $\dfrac{4}{9} \div \dfrac{2}{9} = $ ☐

2-1 $\dfrac{4}{7} \div \dfrac{2}{7}$ 를 계산해 보세요.

$\dfrac{4}{7}$ 는 $\dfrac{1}{7}$ 이 ☐ 개

$\dfrac{2}{7}$ 는 $\dfrac{1}{7}$ 이 ☐ 개

→ $\dfrac{4}{7} \div \dfrac{2}{7} = $ ☐ $\div$ ☐ $= $ ☐

2-2 $\dfrac{8}{9} \div \dfrac{2}{9}$ 를 계산해 보세요.

$\dfrac{8}{9}$ 은 $\dfrac{1}{9}$ 이 ☐ 개

$\dfrac{2}{9}$ 는 $\dfrac{1}{9}$ 이 ☐ 개

→ $\dfrac{8}{9} \div \dfrac{2}{9} = $ ☐ $\div$ ☐ $= $ ☐

3-1 ☐ 안에 알맞은 수를 써넣으세요.

$\dfrac{8}{13} \div \dfrac{4}{13} = $ ☐ $\div$ ☐ $= $ ☐

3-2 ☐ 안에 알맞은 수를 써넣으세요.

$\dfrac{14}{15} \div \dfrac{7}{15} = $ ☐ $\div$ ☐ $= $ ☐

4-1 계산해 보세요.

(1) $\dfrac{6}{7} \div \dfrac{2}{7}$

(2) $\dfrac{9}{11} \div \dfrac{3}{11}$

4-2 계산해 보세요.

(1) $\dfrac{10}{13} \div \dfrac{2}{13}$

(2) $\dfrac{12}{17} \div \dfrac{6}{17}$

1주
1일

1일

기초 집중 연습

기본 문제 연습

1-1 계산해 보세요.

$$\frac{3}{5} \div \frac{1}{5} = \boxed{}$$

1-2 계산해 보세요.

$$\frac{7}{10} \div \frac{1}{10} = \boxed{}$$

2-1 빈칸에 알맞은 수를 써넣으세요.

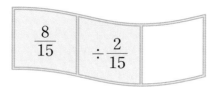

2-2 빈칸에 알맞은 수를 써넣으세요.

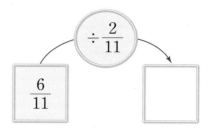

3-1 나눗셈의 몫을 찾아 선으로 이어 보세요.

$$\frac{9}{10} \div \frac{3}{10}$$ •

• 3

$$\frac{6}{7} \div \frac{1}{7}$$ •

• 6

3-2 나눗셈의 몫을 찾아 선으로 이어 보세요.

$$\frac{3}{8} \div \frac{1}{8}$$

$$\frac{6}{13} \div \frac{3}{13}$$

2 3 4

4-1 계산 결과가 더 큰 쪽에 ◯표 하세요.

$$\frac{7}{8} \div \frac{1}{8}$$ $$\frac{15}{17} \div \frac{3}{17}$$

(   )   (   )

4-2 계산 결과를 비교하여 ◯ 안에 >, =, <를 알맞게 써넣으세요.

$$\frac{12}{13} \div \frac{2}{13} \bigcirc \frac{5}{9} \div \frac{1}{9}$$

연산 → 문장제 연습 똑같이 나누는 경우는 나눗셈으로 구하자.

연산 계산해 보세요.

$$\frac{5}{7} \div \frac{1}{7} = \boxed{}$$

 이 나눗셈식은 어떤 상황에서 이용될까요?

5-1 끈 $\frac{5}{7}$ m를 한 도막에 $\frac{1}{7}$ m씩 똑같이 잘랐습니다. 자른 끈은 몇 도막이 되나요?

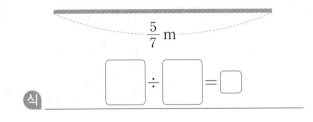

$\frac{5}{7}$ m

식 $\boxed{} \div \boxed{} = \boxed{}$

답 _____

5-2 주스 $\frac{8}{9}$ L를 한 병에 $\frac{4}{9}$ L씩 똑같이 나누어 담으려고 합니다. 몇 개의 병에 나누어 담을 수 있나요?

$\frac{8}{9}$ L $\frac{4}{9}$ L $\frac{4}{9}$ L   ……

식 _____

답 _____

5-3 사탕이 $\frac{8}{11}$ kg 있습니다. 이 사탕을 한 봉지에 $\frac{2}{11}$ kg씩 똑같이 나누어 넣는다면 몇 봉지에 넣을 수 있나요?

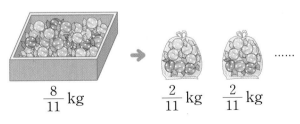

$\frac{8}{11}$ kg $\frac{2}{11}$ kg $\frac{2}{11}$ kg   ……

식 _____

답 _____

분자끼리 나누어떨어지지 않는
분모가 같은 (진분수)÷(진분수)

$$\frac{6}{7} \div \frac{5}{7} = 6 \div 5 = \frac{6}{5} = 1\frac{1}{5}$$

 교과서 기초 개념

- 분자끼리 나누어떨어지지 않는 분모가 같은 (진분수)÷(진분수)

예) $\frac{5}{7} \div \frac{2}{7}$ 의 계산

1. 그림으로 알아보기

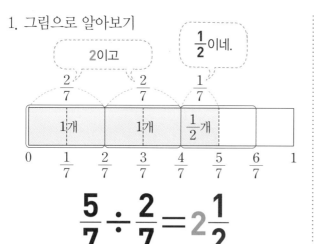

$$\frac{5}{7} \div \frac{2}{7} = 2\frac{1}{2}$$

2. 단위분수의 개수로 알아보기

① $\frac{5}{7}$ 는 $\frac{1}{7}$ 이 **5**개

② $\frac{2}{7}$ 는 $\frac{1}{7}$ 이 **2**개

→ $\frac{5}{7} \div \frac{2}{7} = $ **5**÷**2**

$$\frac{\bullet}{\blacktriangle} \div \frac{\blacksquare}{\blacktriangle} = \frac{\bullet}{\blacksquare}$$

분자 분모

$$= \frac{5}{2} = 2\frac{1}{2}$$

1-1 □ 안에 알맞은 수를 써넣으세요.

$$\frac{5}{9} \div \frac{2}{9} = \boxed{} \div \boxed{} = \frac{\boxed{}}{\boxed{}} = \boxed{}$$

1-2 □ 안에 알맞은 수를 써넣으세요.

$$\frac{9}{11} \div \frac{5}{11} = \boxed{} \div \boxed{} = \frac{\boxed{}}{\boxed{}} = \boxed{}$$

2-1 $\frac{3}{5} \div \frac{2}{5}$ 를 계산해 보세요.

$\frac{3}{5}$ 은 $\frac{1}{5}$ 이 □ 개

$\frac{2}{5}$ 는 $\frac{1}{5}$ 이 □ 개

→ $\frac{3}{5} \div \frac{2}{5} = \boxed{} \div \boxed{} = \frac{\boxed{}}{\boxed{}} = \boxed{}$

2-2 $\frac{7}{8} \div \frac{3}{8}$ 을 계산해 보세요.

$\frac{7}{8}$ 은 $\frac{1}{8}$ 이 □ 개

$\frac{3}{8}$ 은 $\frac{1}{8}$ 이 □ 개

→ $\frac{7}{8} \div \frac{3}{8} = \boxed{} \div \boxed{} = \frac{\boxed{}}{\boxed{}} = \boxed{}$

1주
2일

3-1 보기 와 같이 계산해 보세요.

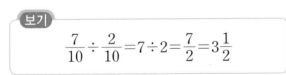

보기

$$\frac{7}{10} \div \frac{2}{10} = 7 \div 2 = \frac{7}{2} = 3\frac{1}{2}$$

(1) $\frac{8}{11} \div \frac{3}{11}$　＿＿＿＿＿＿＿＿

(2) $\frac{9}{13} \div \frac{4}{13}$　＿＿＿＿＿＿＿＿

3-2 3-1의 보기 와 같이 계산해 보세요.

(1) $\frac{5}{8} \div \frac{3}{8}$　＿＿＿＿＿＿＿＿

(2) $\frac{11}{12} \div \frac{5}{12}$　＿＿＿＿＿＿＿＿

(3) $\frac{7}{15} \div \frac{2}{15}$　＿＿＿＿＿＿＿＿

4-1 계산해 보세요.

(1) $\frac{8}{9} \div \frac{5}{9}$

(2) $\frac{11}{16} \div \frac{3}{16}$

4-2 계산해 보세요.

(1) $\frac{4}{5} \div \frac{3}{5}$

(2) $\frac{10}{11} \div \frac{3}{11}$

교과서 기초 개념

• 분모가 다른 (진분수)÷(진분수)

예 $\dfrac{3}{4} \div \dfrac{3}{8}$ 의 계산

1. 그림으로 알아보기

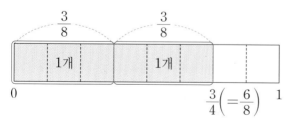

$$\dfrac{3}{4} \div \dfrac{3}{8} = 2$$

$\dfrac{3}{4}$ 안에는 $\dfrac{3}{8}$ 이 2개 있어~

2. 통분하여 계산하기

통분하여 분모를 같게 한 다음 계산합니다.

$$\dfrac{3}{4} \div \dfrac{3}{8} = \dfrac{6}{8} \div \dfrac{3}{8}$$
$$= 6 \div 3 = \boxed{\text{❶}}$$

통분하여 분모를 같게 만들면 (분자)÷(분자)로 계산할 수 있어.

정답 ❶ 2

1-1 ☐ 안에 알맞은 수를 써넣으세요.

$$\frac{3}{5} \div \frac{7}{10} = \frac{\boxed{}}{10} \div \frac{7}{10} = \boxed{} \div 7 = \frac{\boxed{}}{7}$$

1-2 ☐ 안에 알맞은 수를 써넣으세요.

$$\frac{9}{14} \div \frac{5}{7} = \frac{9}{14} \div \frac{\boxed{}}{14} = 9 \div \boxed{} = \frac{9}{\boxed{}}$$

2-1 보기 와 같이 계산해 보세요.

> 보기
> $$\frac{3}{5} \div \frac{1}{2} = \frac{6}{10} \div \frac{5}{10} = 6 \div 5 = \frac{6}{5} = 1\frac{1}{5}$$

$$\frac{3}{4} \div \frac{2}{3}$$ _____

_____

2-2 2-1의 보기 와 같이 계산해 보세요.

(1) $\frac{1}{4} \div \frac{5}{12}$ _____

_____

(2) $\frac{4}{5} \div \frac{3}{7}$ _____

_____

3-1 계산해 보세요.

(1) $\frac{1}{5} \div \frac{2}{3}$

(2) $\frac{7}{9} \div \frac{1}{3}$

3-2 계산해 보세요.

(1) $\frac{5}{7} \div \frac{1}{2}$

(2) $\frac{3}{4} \div \frac{5}{8}$

4-1 빈칸에 알맞은 수를 써넣으세요.

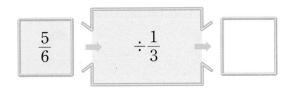

$$\boxed{\frac{5}{6}} \Rightarrow \boxed{\div \frac{1}{3}} \Rightarrow \boxed{}$$

4-2 빈칸에 알맞은 수를 써넣으세요.

$$\boxed{\frac{7}{9} \quad \div \frac{5}{6}}$$

2일 기초 집중 연습

🐷 **기본 문제** 연습

1-1 계산해 보세요.

$$\frac{7}{10} \div \frac{3}{10} = \boxed{}$$

1-2 계산해 보세요.

$$\frac{13}{15} \div \frac{4}{15} = \boxed{}$$

2-1 계산한 값을 찾아 선으로 이어 보세요.

$$\frac{7}{8} \div \frac{5}{8}$$ •

$$\frac{7}{9} \div \frac{3}{9}$$ •

• $$1\frac{2}{5}$$

• $$2\frac{1}{3}$$

2-2 계산한 값을 찾아 선으로 이어 보세요.

$$\frac{8}{9} \div \frac{5}{6}$$ •

$$\frac{2}{5} \div \frac{1}{2}$$ •

• $$\frac{4}{5}$$

• $$1\frac{1}{15}$$

• $$1\frac{3}{5}$$

3-1 $\frac{7}{9} \div \frac{5}{18}$ 를 통분하여 계산하는 과정입니다. ㉠, ㉡ 에 알맞은 수를 각각 구하세요.

$$\frac{7}{9} \div \frac{5}{18} = \frac{14}{18} \div \frac{5}{18} = 14 \div 5 = \frac{㉡}{㉠}$$

㉠ (   )

㉡ (   )

3-2 $\frac{11}{12} \div \frac{1}{4}$ 을 통분하여 계산하는 과정입니다. ㉠, ㉡, ㉢에 알맞은 수를 각각 구하세요.

$$\frac{11}{12} \div \frac{1}{4} = \frac{11}{12} \div ㉠ = 11 \div ㉡ = ㉢$$

㉠ (   )

㉡ (   )

㉢ (   )

4-1 계산 결과가 더 작은 것의 기호를 써 보세요.

㉠ $\frac{2}{3} \div \frac{3}{5}$ ㉡ $\frac{5}{6} \div \frac{2}{3}$

(   )

4-2 계산 결과가 더 큰 식을 말한 사람의 이름을 써 보세요.

 민호   정우

(   )

연산 → 문장제 연습 '■는 ●의 몇 배'는 ■ ÷ ●로 계산하자.

연산 계산해 보세요.

$$\frac{7}{15} \div \frac{2}{3} = \boxed{}$$

 이 나눗셈식은 어떤 상황에서 이용될까요?

5-1 콩이 $\frac{7}{15}$ kg, 보리가 $\frac{2}{3}$ kg 있습니다. 콩의 무게는 보리의 무게의 몇 배인가요?

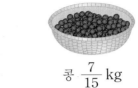
콩 $\frac{7}{15}$ kg   보리 $\frac{2}{3}$ kg

식 $\boxed{} \div \boxed{} = \boxed{}$
_____

답 _____

5-2 우유를 은수는 $\frac{2}{5}$ L, 지호는 $\frac{7}{10}$ L 마셨습니다. 은수가 마신 우유량은 지호가 마신 우유량의 몇 배인가요?

식 _____

답 _____

5-3 길이가 $\frac{2}{3}$ m인 색 테이프를 $\frac{1}{6}$ m씩 자르면 몇 도막이 되나요?

$\frac{2}{3}$ m $\frac{1}{6}$ m $\frac{1}{6}$ m ······

식 _____

답 _____

 교과서 기초 개념

- (자연수)÷(분수) — $6 \div \frac{2}{3}$의 계산

사탕 6 kg 만드는 데 $\frac{2}{3}$시간 걸림 ➡ 1시간 동안 만든 사탕의 무게 $6 \div \frac{2}{3}$의 계산

$\frac{2}{3}$시간 동안 만든 양 $\frac{1}{3}$시간 동안 만든 양 1시간 동안 만든 양

| 6 kg | 3 kg | 9 kg |

$6 \div 2$ $(6 \div 2) \times 3$

$$6 \div \frac{2}{3} = (6 \div 2) \times 3 = 9$$

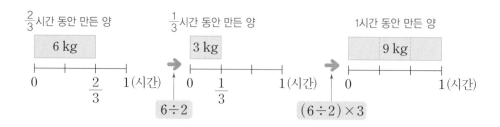

(자연수)÷(분수)
➡ $\bullet \div \frac{\blacktriangle}{\blacksquare} = (\bullet \div \blacktriangle) \times \blacksquare$

1-1 ☐ 안에 알맞은 수를 써넣으세요.

(1) $4 \div \dfrac{2}{3} = (4 \div \boxed{}) \times \boxed{} = \boxed{}$

(2) $6 \div \dfrac{3}{5} = (6 \div \boxed{}) \times \boxed{} = \boxed{}$

1-2 ☐ 안에 알맞은 수를 써넣으세요.

(1) $8 \div \dfrac{4}{5} = (8 \div \boxed{}) \times \boxed{} = \boxed{}$

(2) $9 \div \dfrac{3}{7} = (9 \div \boxed{}) \times \boxed{} = \boxed{}$

2-1 보기 와 같이 계산해 보세요.

보기

$$4 \div \dfrac{2}{5} = (4 \div 2) \times 5 = 10$$

(1) $6 \div \dfrac{3}{7}$ _____

(2) $8 \div \dfrac{4}{9}$ _____

2-2 **2-1** 의 보기 와 같이 계산해 보세요.

(1) $8 \div \dfrac{2}{5}$ _____

(2) $6 \div \dfrac{3}{10}$ _____

(3) $10 \div \dfrac{5}{7}$ _____

3-1 계산해 보세요.

$$12 \div \dfrac{4}{7}$$

(   )

3-2 계산해 보세요.

$$9 \div \dfrac{3}{10}$$

(   )

4-1 빈칸에 알맞은 수를 써넣으세요.

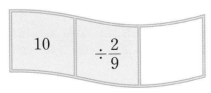

4-2 빈칸에 알맞은 수를 써넣으세요.

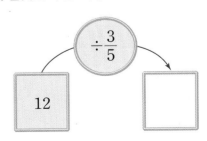

 교과서 기초 개념

• (분수)÷(분수)를 (분수)×(분수)로 나타내기 — $\dfrac{4}{5} \div \dfrac{2}{3}$ 의 계산

| 설탕 $\dfrac{4}{5}$ kg으로 통의 $\dfrac{2}{3}$ 를 채움 | → | 1통을 가득 채우는 설탕의 무게 | $\dfrac{4}{5} \div \dfrac{2}{3}$ 의 계산 |

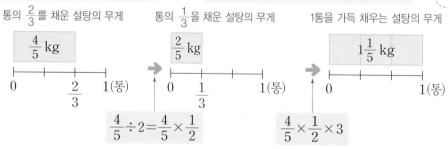

통의 $\dfrac{2}{3}$ 를 채운 설탕의 무게   통의 $\dfrac{1}{3}$ 을 채운 설탕의 무게   1통을 가득 채우는 설탕의 무게

$$\frac{4}{5} \div 2 = \frac{4}{5} \times \frac{1}{2}$$

$$\frac{4}{5} \times \frac{1}{2} \times 3$$

$$\frac{4}{5} \div \frac{2}{3} = \left(\frac{4}{5} \div 2\right) \times 3 = \frac{4}{5} \times \frac{1}{2} \times 3 = \frac{4}{5} \times \frac{3}{2}$$

나누는 분수의 분모와 분자를 바꾼 다음 곱셈으로 고쳐서 계산합니다.

$$\frac{\triangle}{\bullet} \div \frac{\bigstar}{\blacksquare} = \frac{\triangle}{\bullet} \times \frac{\blacksquare}{\bigstar}$$

÷ → ×,
분모와 분자가 바뀜

1-1 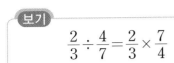 와 같이 나눗셈식을 곱셈식으로 나타내세요.

보기
$$\frac{2}{3} \div \frac{4}{7} = \frac{2}{3} \times \frac{7}{4}$$

(1) $\frac{5}{6} \div \frac{2}{9}$ _____

(2) $\frac{3}{5} \div \frac{4}{11}$ _____

1-2 **1-1**의 보기 와 같이 나눗셈식을 곱셈식으로 나타내세요.

(1) $\frac{3}{8} \div \frac{3}{4}$ _____

(2) $\frac{7}{10} \div \frac{6}{7}$ _____

(3) $\frac{5}{12} \div \frac{2}{3}$ _____

2-1 보기 와 같이 계산해 보세요.

보기
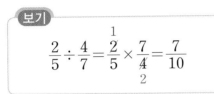
$$\frac{2}{5} \div \frac{4}{7} = \frac{\overset{1}{2}}{5} \times \frac{7}{\underset{2}{4}} = \frac{7}{10}$$

$\frac{1}{6} \div \frac{7}{9}$ _____

2-2 **2-1**의 보기 와 같이 계산해 보세요.

(1) $\frac{7}{8} \div \frac{4}{5}$ _____

(2) $\frac{3}{7} \div \frac{5}{6}$ _____

3-1 계산해 보세요.

(1) $\frac{7}{10} \div \frac{2}{3}$

(2) $\frac{4}{5} \div \frac{7}{9}$

3-2 계산해 보세요.

(1) $\frac{1}{6} \div \frac{5}{8}$

(2) $\frac{5}{12} \div \frac{4}{9}$

4-1 빈칸에 알맞은 수를 써넣으세요.

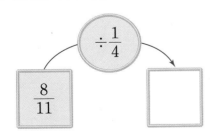

4-2 빈칸에 알맞은 수를 써넣으세요.

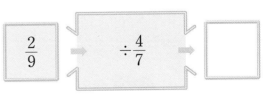

기본 문제 연습

1-1 계산해 보세요.

$$12 \div \frac{3}{7} = \boxed{}$$

1-2 계산해 보세요.

$$15 \div \frac{5}{8} = \boxed{}$$

2-1 ㉮와 ㉯에 알맞은 수를 각각 구하세요.

$$\frac{6}{7} \div \frac{2}{5} = \frac{6}{7} \times \frac{㉮}{㉯}$$

㉮ (   )

㉯ (   )

2-2 ㉠에 알맞은 분수를 구하세요.

$$\frac{5}{8} \div \frac{3}{4} = \frac{5}{8} \times ㉠$$

(   )

3-1 나눗셈을 계산할 수 있는 곱셈식을 찾아 선으로 이어 보세요.

$$\frac{3}{4} \div \frac{7}{9}$$ •

$$\frac{4}{7} \div \frac{2}{5}$$ •

• $$\frac{3}{4} \times \frac{9}{7}$$

• $$\frac{4}{3} \times \frac{7}{9}$$

• $$\frac{4}{7} \times \frac{5}{2}$$

3-2 나눗셈을 계산할 수 있는 곱셈식을 찾아 선으로 이어 보세요.

$$\frac{7}{9} \div \frac{1}{3}$$ $$\frac{3}{10} \div \frac{5}{8}$$

$$\frac{9}{7} \times \frac{1}{3}$$ $$\frac{7}{9} \times 3$$ $$\frac{3}{10} \times \frac{8}{5}$$

4-1 계산 결과를 비교하여 ◯ 안에 >, =, <를 알맞게 써넣으세요.

$$16 \div \frac{2}{7} \bigcirc 14 \div \frac{2}{9}$$

4-2 계산 결과가 더 큰 것의 기호를 써 보세요.

㉠ $$8 \div \frac{4}{11}$$ ㉡ $$6 \div \frac{2}{7}$$

(   )

연산 → 문장제 연습 '몇 도막, 몇 배' 등은 나눗셈으로 구하자.

연산 계산해 보세요.

$$8 \div \frac{4}{7} = \boxed{}$$

 이 나눗셈식은 어떤 상황에서 이용될까요?

5-1 길이가 8 m인 나무 막대를 $\frac{4}{7}$ m씩 잘랐습니다. 자른 나무 막대는 몇 도막인가요?

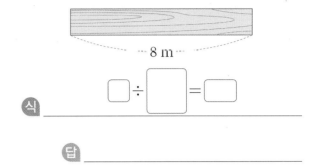

8 m

식 $\boxed{} \div \boxed{} = \boxed{}$

_____

답 _____

5-2 사과의 무게는 $\frac{5}{7}$ kg이고, 바나나의 무게는 $\frac{3}{5}$ kg입니다. 사과의 무게는 바나나의 무게의 몇 배인가요?

식 _____

답 _____

5-3 넓이가 $\frac{11}{12}$ m²인 직사각형이 있습니다. 세로가 $\frac{4}{5}$ m일 때 가로는 몇 m인가요?

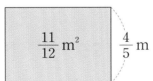

$\frac{11}{12}$ m² $\frac{4}{5}$ m

식 _____

답 _____

교과서 기초 개념

- **(가분수)÷(분수)**

예) $\dfrac{5}{4} \div \dfrac{2}{5}$ 의 계산

방법 1 통분하여 계산하기

> 분모를 통분해~

$$\dfrac{5}{4} \div \dfrac{2}{5} = \dfrac{25}{20} \div \dfrac{8}{20}$$
$$= 25 \div 8$$
$$= \dfrac{25}{8} = \boxed{①} \dfrac{1}{8}$$

방법 2 나눗셈을 곱셈으로 나타내어 계산하기

> $\div \dfrac{2}{5} \Rightarrow \times \dfrac{5}{2}$

$$\dfrac{5}{4} \div \dfrac{2}{5} = \dfrac{5}{4} \times \dfrac{5}{2}$$
$$= \dfrac{25}{8} = 3\dfrac{1}{8}$$

> 분모와 분자를 바꾸어 곱해~

정답 ① 3

1-1 ☐ 안에 알맞은 수를 써넣으세요.

$$8 \div \frac{3}{5} = 8 \times \frac{\boxed{}}{3} = \frac{\boxed{}}{3} = \boxed{}\frac{\boxed{}}{3}$$

1-2 ☐ 안에 알맞은 수를 써넣으세요.

$$9 \div \frac{4}{7} = 9 \times \frac{\boxed{}}{\boxed{}} = \frac{\boxed{}}{\boxed{}} = \boxed{}$$

2-1 $\frac{4}{3} \div \frac{5}{9}$ 를 통분하여 계산해 보세요.

$$\frac{4}{3} \div \frac{5}{9} = \frac{\boxed{}}{9} \div \frac{5}{9} = \boxed{} \div \boxed{}$$

$$= \frac{\boxed{}}{\boxed{}} = \boxed{}$$

2-2 $\frac{11}{8} \div \frac{3}{5}$ 을 통분하여 계산해 보세요.

$$\frac{11}{8} \div \frac{3}{5} = \frac{\boxed{}}{40} \div \frac{\boxed{}}{40} = \boxed{} \div \boxed{}$$

$$= \frac{\boxed{}}{\boxed{}} = \boxed{}$$

3-1 나눗셈식을 곱셈식으로 나타내어 계산해 보세요.

$$\frac{7}{5} \div \frac{2}{3} = \frac{7}{5} \times \frac{\boxed{}}{\boxed{}} = \frac{\boxed{}}{\boxed{}} = \boxed{}$$

3-2 나눗셈식을 곱셈식으로 나타내어 계산해 보세요.

$$\frac{10}{7} \div \frac{5}{6} = \frac{10}{7} \times \frac{\boxed{}}{\boxed{}} = \frac{\boxed{}}{7} = \boxed{}$$

4-1 계산해 보세요.

(1) $12 \div \frac{3}{8}$

(2) $\frac{7}{6} \div \frac{2}{5}$

4-2 계산해 보세요.

(1) $15 \div \frac{5}{9}$

(2) $\frac{12}{11} \div \frac{3}{4}$

교과서 기초 개념

• (대분수)÷(분수)

예) $1\frac{1}{3} \div \frac{3}{5}$ 의 계산

방법 1 통분하여 계산하기

$$1\frac{1}{3} \div \frac{3}{5} = \frac{4}{3} \div \frac{3}{5}$$

> 대분수를 가분수로 나타낸 다음 계산해~

$$= \frac{20}{15} \div \frac{9}{15}$$

$$= 20 \div 9$$

$$= \frac{20}{9} = 2\frac{2}{9}$$

방법 2 나눗셈을 곱셈으로 나타내어 계산하기

$$1\frac{1}{3} \div \frac{3}{5} = \frac{4}{3} \div \frac{3}{5}$$

$$= \frac{4}{3} \times \frac{5}{3}$$

$$= \frac{20}{9} = 2\frac{❶}{9}$$

정답 ❶ 2

1-1 $1\dfrac{1}{5} \div \dfrac{3}{4}$ 을 통분하여 계산해 보세요.

$$1\dfrac{1}{5} \div \dfrac{3}{4} = \dfrac{\boxed{}}{5} \div \dfrac{3}{4} = \dfrac{\boxed{}}{20} \div \dfrac{\boxed{}}{20}$$

$$= \boxed{} \div 15 = \dfrac{\boxed{}}{5} = \boxed{}$$

1-2 $2\dfrac{1}{2} \div \dfrac{3}{7}$ 을 통분하여 계산해 보세요.

$$2\dfrac{1}{2} \div \dfrac{3}{7} = \dfrac{\boxed{}}{2} \div \dfrac{3}{7} = \dfrac{\boxed{}}{14} \div \dfrac{\boxed{}}{14}$$

$$= \boxed{} \div \boxed{} = \dfrac{\boxed{}}{\boxed{}} = \boxed{}$$

2-1 나눗셈식을 곱셈식으로 나타내어 계산해 보세요.

$$2\dfrac{2}{3} \div \dfrac{4}{5} = \dfrac{\boxed{}}{3} \div \dfrac{4}{5} = \dfrac{\boxed{}}{3} \times \dfrac{\boxed{}}{\boxed{}}$$

$$= \dfrac{\boxed{}}{3} = \boxed{}$$

2-2 나눗셈식을 곱셈식으로 나타내어 계산해 보세요.

$$1\dfrac{5}{7} \div \dfrac{7}{9} = \dfrac{\boxed{}}{7} \div \dfrac{7}{9} = \dfrac{\boxed{}}{7} \times \dfrac{\boxed{}}{\boxed{}}$$

$$= \dfrac{\boxed{}}{\boxed{}} = \boxed{}$$

3-1 계산해 보세요.

(1) $2\dfrac{2}{9} \div \dfrac{6}{7}$

(2) $1\dfrac{3}{5} \div \dfrac{1}{3}$

3-2 계산해 보세요.

(1) $1\dfrac{1}{2} \div \dfrac{1}{4}$

(2) $2\dfrac{3}{7} \div \dfrac{2}{5}$

4-1 빈칸에 알맞은 수를 써넣으세요.

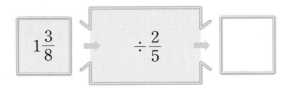

4-2 빈칸에 알맞은 수를 써넣으세요.

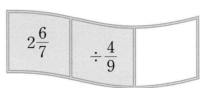

4일

기초 집중 연습

기본 문제 연습

1-1 계산해 보세요.

$$4 \div \frac{2}{7} = \boxed{}$$

1-2 계산해 보세요.

$$9 \div \frac{5}{8} = \boxed{}$$

2-1 분수의 곱셈으로 나타내어 계산해 보세요.

$$\frac{11}{9} \div \frac{3}{4} \underline{}$$

2-2 분수의 곱셈으로 나타내어 계산해 보세요.

$$\frac{16}{3} \div \frac{4}{5} \underline{}$$

3-1 자연수를 진분수로 나눈 몫을 구하세요.

$$\frac{5}{6} \qquad 10$$

(   )

3-2 대분수를 진분수로 나눈 몫을 구하세요.

$$\frac{11}{12} \qquad 1\frac{3}{8}$$

(   )

4-1 잘못 계산한 곳을 찾아 바르게 고쳐 계산해 보세요.

$$1\frac{5}{9} \div \frac{5}{7} = 1\frac{5}{9} \times \frac{7}{5} = 1\frac{7}{9}$$

→ _____

4-2 잘못 계산한 곳을 찾아 바르게 고쳐 계산해 보세요.

$$\frac{8}{5} \div \frac{2}{9} = \frac{8}{5} \times \frac{2}{9} = \frac{16}{45}$$

→ _____

 연산 → 문장제 연습 '나누어 담거나, 나누어 먹을 때'는 나눗셈으로 구하자.

연산 계산해 보세요.

$3\frac{2}{3} \div \frac{11}{12} = \boxed{}$

5-1 수정과 $3\frac{2}{3}$ L를 한 병에 $\frac{11}{12}$ L씩 똑같이 나누어 담으려고 합니다. 병 몇 개에 나누어 담을 수 있나요?

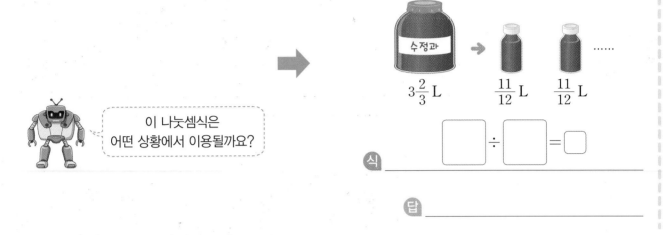

식 _____

답 _____

이 나눗셈식은 어떤 상황에서 이용될까요?

1주 4일

5-2 보리가 2 kg 있습니다. 하루에 $\frac{2}{5}$ kg씩 먹는다면 며칠 동안 먹을 수 있나요?

식 _____

답 _____

5-3 넓이가 $8\frac{2}{3}$ cm²인 평행사변형이 있습니다. 평행사변형의 밑변의 길이가 $4\frac{1}{2}$ cm일 때 높이는 몇 cm인가요?

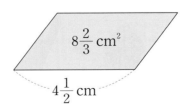

식 _____

답 _____

교과서 기초 개념

- **자연수의 나눗셈을 이용한 (소수) ÷ (소수)**

1. 소수 한 자리 수의 계산

(예) 11.5 ÷ 0.5의 계산

$$11.5 \div 0.5$$

10배   10배

$$115 \div 5 = 23$$

→ $11.5 \div 0.5 = 115 \div 5$

$$= \boxed{①}$$

소수의 나눗셈을 자연수의 나눗셈으로 바꾸어 계산해~

2. 소수 두 자리 수의 계산

(예) 1.89 ÷ 0.07의 계산

$$1.89 \div 0.07$$

100배   100배

$$189 \div 7 = 27$$

→ $1.89 \div 0.07 = 189 \div 7$

$$= \boxed{②}$$

나누는 수와 나누어지는 수에 똑같이 10배 또는 100배 해도 몫은 같아.

정답 ❶ 23   ❷ 27

1-1 자연수의 나눗셈을 이용하여 소수의 나눗셈을 계산해 보세요.

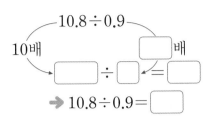

$10.8 \div 0.9$

10배, □배

$\boxed{} \div \boxed{} = \boxed{}$

➡ $10.8 \div 0.9 = \boxed{}$

1-2 자연수의 나눗셈을 이용하여 소수의 나눗셈을 계산해 보세요.

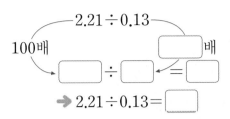

$2.21 \div 0.13$

100배, □배

$\boxed{} \div \boxed{} = \boxed{}$

➡ $2.21 \div 0.13 = \boxed{}$

2-1 □ 안에 알맞은 수를 써넣으세요.

끈 17.4 cm를 0.6 cm씩 자르기

$17.4 \text{ cm} = \boxed{} \text{ mm}$

$0.6 \text{ cm} = \boxed{} \text{ mm}$

$17.4 \div 0.6 = \boxed{} \div \boxed{}$

$= \boxed{}$ (도막)

2-2 □ 안에 알맞은 수를 써넣으세요.

철사 1.48 m를 0.04 m씩 자르기

$1.48 \text{ m} = \boxed{} \text{ cm}$

$0.04 \text{ m} = \boxed{} \text{ cm}$

$1.48 \div 0.04 = \boxed{} \div \boxed{}$

$= \boxed{}$ (도막)

3-1 자연수의 나눗셈을 이용하여 □ 안에 알맞은 수를 써넣으세요.

(1)
$238 \div 7 = 34$

➡ $23.8 \div 0.7 = \boxed{}$

(2)
$245 \div 5 = 49$

➡ $2.45 \div 0.05 = \boxed{}$

3-2 자연수의 나눗셈을 이용하여 □ 안에 알맞은 수를 써넣으세요.

(1)
$558 \div 9 = 62$

➡ $55.8 \div 0.9 = \boxed{}$

(2)
$936 \div 26 = 36$

➡ $9.36 \div 0.26 = \boxed{}$

1주
5일

교과서 기초 개념

• (소수 한 자리 수)÷(소수 한 자리 수)

㉖ 3.5÷0.7의 계산

1. 분수의 나눗셈으로 계산하기

소수 한 자리 수 ➡ 분모가 10인 분수

$$3.5 \div 0.7 = \frac{35}{10} \div \frac{7}{10}$$

분모가 10인 분수로 고치기

$$= 35 \div 7$$

분자끼리 나누기

$$= \boxed{①}$$

2. 세로로 계산하기

나누는 수와 나누어지는 수에 똑같이 10배 하기~

$$0.7\overline{)3.5} \rightarrow 7\overline{)35}$$

소수점을 오른쪽으로 한 자리씩 옮기기~

정답 ① 5   ② 0

1-1 □ 안에 알맞은 수를 써넣으세요.

$$3.6 \div 0.4 = \dfrac{\square}{10} \div \dfrac{\square}{10}$$
$$= \square \div \square = \square$$

1-2 □ 안에 알맞은 수를 써넣으세요.

$$9.6 \div 1.2 = \dfrac{\square}{10} \div \dfrac{\square}{10}$$
$$= \square \div \square = \square$$

2-1 □ 안에 알맞은 수를 써넣으세요.

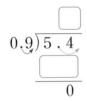

2-2 □ 안에 알맞은 수를 써넣으세요.

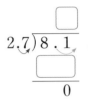

3-1 보기 와 같이 분수의 나눗셈으로 계산해 보세요.

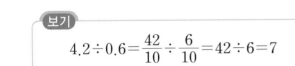

보기
$$4.2 \div 0.6 = \dfrac{42}{10} \div \dfrac{6}{10} = 42 \div 6 = 7$$

$5.6 \div 0.7$ _____

3-2 **3**-1의 보기 와 같이 계산해 보세요.

(1) $4.8 \div 0.6$ _____

(2) $20.7 \div 2.3$ _____

4-1 계산해 보세요.

(1)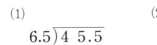

$6.5 \overline{)45.5}$

(2) $1.3 \overline{)36.4}$

4-2 계산해 보세요.

(1) $0.8 \overline{)37.6}$

(2) $1.7 \overline{)35.7}$

기초 집중 연습

1-1 계산해 보세요.

$$39.2 \div 2.8 = \boxed{}$$

1-2 계산해 보세요.

$$25.9 \div 0.7 = \boxed{}$$

2-1 소수의 나눗셈을 분수의 나눗셈으로 바르게 고친 것의 기호를 써 보세요.

$$\bigcirc \quad 54.4 \div 3.2 = \frac{544}{100} \div \frac{32}{10}$$

$$\bigcirc \quad 54.4 \div 3.2 = \frac{544}{10} \div \frac{32}{10}$$

(   )

2-2 소수의 나눗셈을 분수의 나눗셈으로 바르게 고친 사람의 이름을 써 보세요.

민호
$$45.6 \div 2.4 = \frac{456}{10} \div \frac{24}{10}$$

준희
$$45.6 \div 2.4 = \frac{456}{100} \div \frac{24}{10}$$

(   )

3-1 잘못 계산한 곳을 찾아 바르게 계산해 보세요.

```
          1.7
  1.4) 2 3.8
        1 4
          9 8
          9 8
            0
```
→

3-2 잘못 계산한 곳을 찾아 바르게 계산해 보세요.

```
          1.3
  0.6) 7.8
        6
        1 8
        1 8
          0
```
→

4-1 계산 결과를 비교하여 ◯ 안에 >, =, <를 알맞게 써넣으세요.

$$8.5 \div 0.5 \quad \bigcirc \quad 15.6 \div 1.2$$

4-2 계산 결과가 더 작은 것의 기호를 써 보세요.

$$\bigcirc \ 11.2 \div 0.4$$
$$\bigcirc \ 43.5 \div 1.5$$

(   )

연산 → 문장제 연습   똑같이 나눌 때는 나눗셈으로 구하자.

연산 계산해 보세요.

$10.8 \div 0.9 =$ ☐

 이 나눗셈식은 어떤 상황에서 이용될까요?

5-1 물이 10.8 L 있습니다. 물을 물통 한 개에 0.9 L 씩 담는다면 물통 몇 개가 필요한가요?

10.8 L   0.9 L   0.9 L   ……

식 ☐ ÷ ☐ = ☐ _____

답 _____

5-2 딸기 24.7 kg을 한 상자에 1.9 kg씩 담으려고 합니다. 딸기를 모두 담으려면 몇 상자 필요한가요?

   ……

24.7 kg   1.9 kg   1.9 kg

식 _____

답 _____

5-3 길이가 54.4 cm인 털실을 3.4 cm씩 자르려고 합니다. 털실은 몇 도막이 되나요?

54.4 cm

식 _____

답 _____

1 $\frac{4}{7} \div \frac{2}{3}$ 를 곱셈식으로 바르게 고친 것에 ◯표 하세요.

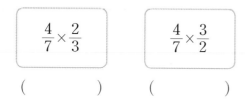

$\frac{4}{7} \times \frac{2}{3}$	$\frac{4}{7} \times \frac{3}{2}$
( )	( )

2 ☐ 안에 알맞은 수를 써넣으세요.

$$3.2 \div 0.8 = \frac{\boxed{}}{10} \div \frac{\boxed{}}{10}$$
$$= \boxed{} \div \boxed{} = \boxed{}$$

3 계산해 보세요.

$$\frac{3}{8} \div \frac{2}{7}$$

( )

4 빈칸에 알맞은 수를 써넣으세요.

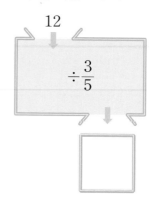

5 넓이가 13.5 m²인 직사각형 모양의 꽃밭이 있습니다. 가로가 4.5 m 일 때 세로는 몇 m인가요?

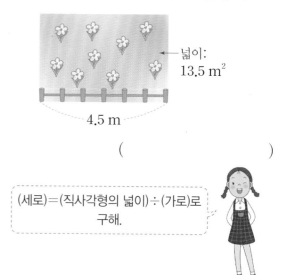

넓이: 13.5 m²

4.5 m

( )

(세로)=(직사각형의 넓이)÷(가로)로 구해.

6 와 같이 계산해 보세요.

> 보기
>
> $$\frac{1}{2} \div \frac{2}{3} = \frac{3}{6} \div \frac{4}{6} = 3 \div 4 = \frac{3}{4}$$

$$\frac{2}{5} \div \frac{5}{7}$$ _____

7 계산 결과를 찾아 선으로 이어 보세요.

$$\frac{3}{7} \div \frac{1}{7}$$ $$\frac{8}{9} \div \frac{2}{9}$$

•   •

•   •   •

| 5 | | 4 | | 3 |

8 냉장고에 물이 4 L 있습니다. 물을 하루에 $\frac{4}{5}$ L 씩 마신다면 며칠 동안 마실 수 있나요?

 _____

 _____

9 계산 결과를 비교하여 ◯ 안에 >, =, <를 알 맞게 써넣으세요.

| $\frac{5}{8} \div \frac{1}{2}$ | ◯ | $\frac{7}{12} \div \frac{3}{4}$ |

10 철사 $7\frac{1}{2}$ m가 있습니다. 다음과 같은 별 모양을 몇 개까지 만들 수 있나요?

> 별 모양 1개를 만드는 데 철사가 $\frac{3}{4}$ m 필요해.

(   )

창의·융합·코딩

즐거운 소풍~ 보물을 찾아라!

창의 1 소풍 중 보물찾기에서 유리, 지아, 지훈이가 각각 다른 한 가지 보물을 찾았습니다.

케이크, 동화책, 곰인형 중에서 유리, 지아, 지훈이가 찾은 물건을 써넣고
유리가 찾은 물건의 무게는 지훈이가 찾은 물건의 무게의 몇 배인지 구하세요.

	유리	지아	지훈
찾은 물건			

답 _____

파자마 파티에서 생긴 일?

 지안이와 친구들이 파자마 파티를 하고 있습니다.

 위의 낱말 카드로 만든 문장 순서대로 수를 넣어 분수의 나눗셈을 만들고 계산해 보자.

문제: ☐ ÷ ☐

답 _____

코딩 3 A÷B를 계산하는 상자입니다. 8.4÷0.6을 계산하려면 A와 B에 각각 어떤 수를 써야 하는지 ☐ 안에 써넣고 출력값을 구하세요.

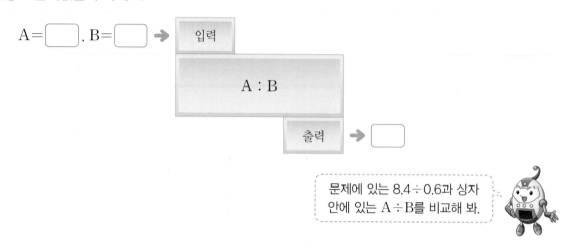

A=☐ , B=☐ → 입력

A ÷ B

출력 → ☐

문제에 있는 8.4÷0.6과 상자 안에 있는 A÷B를 비교해 봐.

창의 4 우유가 2 L 있습니다. 이 우유를 $\frac{1}{5}$ L씩 담을 수 있는 컵에 나누어 담으려고 합니다. 컵 몇 개에 담을 수 있는지 분수의 나눗셈을 이용하여 담을 수 있는 컵에 색칠해 보세요.

2 L →

5 민호가 있는 곳에서 공원까지의 거리는 $2\frac{4}{5}$ km이고, 도서관까지의 거리는 $\frac{1}{2}$ km입니다. 민호가 있는 곳에서 공원까지의 거리는 민호가 있는 곳에서 도서관까지의 거리의 몇 배인가요?

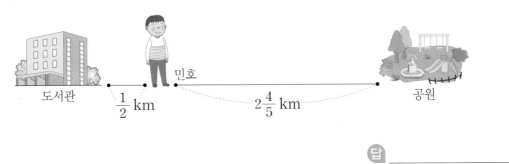

답 _____

6 규칙에 따라 수를 계산하는 코딩입니다. 이 코딩을 실행해서 나온 수를 구하세요.

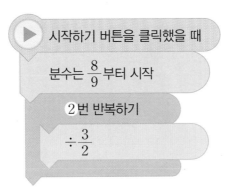

이 코딩을 1번 반복하면
$\frac{8}{9} \div \frac{3}{2}$을 계산한 값이야~

답 _____

창의 7 선물 상자 한 개를 묶는 데 리본 $\frac{3}{5}$ m가 필요합니다. 리본 5 m로 상자를 몇 개까지 묶을 수 있나요?

답 _____

융합 8 재현이네 가족은 주말 농장에서 오이와 고추를 심었습니다. 오이는 $7\frac{1}{2}$ m², 고추는 $8\frac{2}{5}$ m²에 심었다면 오이를 심은 넓이는 고추를 심은 넓이의 몇 배인가요?

답 _____

 둘레가 75.6 m인 원 모양의 목장에 울타리로 2.8 m 간격으로 기둥을 세우려고 합니다. 기둥은 몇 개 필요한지 구하세요. (단, 기둥의 두께는 생각하지 않습니다.)

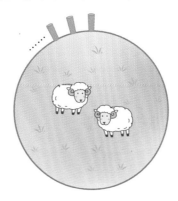

답 _____

코딩10 분모가 같은 분수의 나눗셈은 보기와 같이 분자끼리 나누어 계산한다고 합니다. $\frac{9}{11} \div \frac{3}{11}$을 계산하는 코딩 과정입니다. ☐ 안에 알맞은 수를 써넣고, 출력된 값을 구하세요. (단, A, B는 자연수)

보기

$$\frac{4}{7} \div \frac{2}{7} = 4 \div 2 = 2$$

↓	A=☐, B=☐
↓	A÷B=C
	C를 출력합니다.

답 _____

2주 소수의 나눗셈 / 공간과 입체

이 천으로 장기자랑 무대를 꾸미자.

길이가 6.63 m이고, 0.51 m씩 자를 거야. 그럼 몇 조각이 나올까?

6.63÷0.51을 계산해 보면 총 13조각이 나와.

$$
\begin{array}{r}
1\,3 \\
0.51\,\overline{)\,6.6\,3} \\
5\,1 \\
\hline
1\,5\,3 \\
1\,5\,3 \\
\hline
0
\end{array}
$$

현민아 뭐 해? 너도 와서 좀 도와.

나 바빠. 장기자랑에서 선 보일 춤 연습 중이야.

헉!

삐끗

아이고, 허리야. 나 좀 쉬어야 할 것 같아.

기왕 이렇게 된 거 천을 자르는 건 네가 맡아 줄래?

쉬면서 이것 좀 잘라 줘.

흐윽. 알았어.

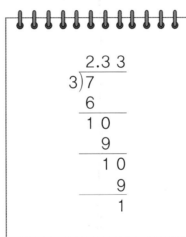

2-1 여러 가지 도형

몇 층으로 쌓았는지 확인해 보고

층별로 개수를 세어 더해.

1-1 똑같이 쌓으려면 쌓기나무가 몇 개 필요한가요?

( )

1-2 똑같이 쌓으려면 쌓기나무가 몇 개 필요한가요?

( )

2-1 오른쪽 모양과 똑같이 쌓은 모양에 ○표 하세요.

( )   ( )   ( )

2-2 오른쪽 모양과 똑같이 쌓은 모양에 ○표 하세요.

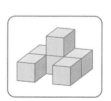

( )   ( )   ( )

6-1 소수의 나눗셈

자연수의 나눗셈과 같은 방법으로 계산하고

몫의 소수점은 나누어지는 수의 소수점을 올려 찍어.

2주 1일

3-1 계산해 보세요.

(1) 2)4.6

(2) 2)3.6

3-2 계산해 보세요.

(1) 5)5.2 5

(2) 4)1 2.2

4-1 크기를 비교하여 ○ 안에 >, =, <를 알맞게 써넣으세요.

(1) | 4.05÷5 | ○ | 0.7 |

(2) | 1.56÷4 | ○ | 0.4 |

4-2 계산 결과가 더 큰 것에 ○표 하세요.

(1)

| 26.4÷2 | 33.6÷3 |
| ( ) | ( ) |

(2)

| 18.5÷2 | 37.5÷5 |
| ( ) | ( ) |

2.76÷0.23을 계산해 보자.
12조각이 된단다.

그럼 또 퀴즈!

우리 놀러 온 거 아닌가요……?

교과서 기초 개념

- (소수 두 자리 수)÷(소수 두 자리 수)

예) 2.76÷0.23의 계산

분모가 100인 분수로 고쳐서 분수의 나눗셈으로 계산할 수 있어.

세로로 계산할 수도 있어.

$$2.76 \div 0.23 = \frac{276}{100} \div \frac{23}{100}$$
$$= 276 \div 23$$
$$= 12$$

$$0.23\overline{)2.76} \rightarrow 23\overline{)276}$$

나누는 수와 나누어지는 수의 소수점을 각각 오른쪽으로 두 자리씩 옮겨서 (자연수)÷(자연수)로 계산합니다.

```
        1 2
  23) 2 7 6
      2 3
      4 6
      4 6
        0
```

[1-1 ~ 1-2] 소수의 나눗셈을 분수의 나눗셈으로 계산하려고 합니다. ☐ 안에 알맞은 수를 써넣으세요.

1-1 $1.41 \div 0.47 = \dfrac{141}{100} \div \dfrac{\boxed{}}{100}$

$\qquad\qquad = 141 \div \boxed{} = \boxed{}$

1-2 $2.36 \div 0.59 = \dfrac{236}{100} \div \dfrac{\boxed{}}{100}$

$\qquad\qquad = 236 \div \boxed{} = \boxed{}$

2-1 ☐ 안에 알맞은 수를 써넣으세요.

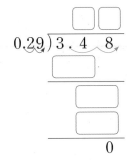

2-2 ☐ 안에 알맞은 수를 써넣으세요.

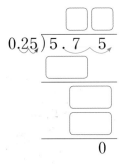

3-1 계산해 보세요.

(1) $0.72\,)\,\overline{4.3\ 2}$　　(2) $0.63\,)\,\overline{1\ 3.8\ 6}$

3-2 계산해 보세요.

(1) $21.62 \div 0.94$

(2) $5.48 \div 1.37$

4-1 빈칸에 알맞은 수를 써넣으세요.

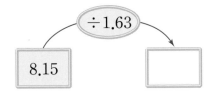

4-2 빈칸에 알맞은 수를 써넣으세요.

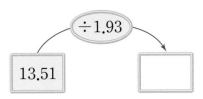

교과서 기초 개념

• 자릿수가 다른 (소수)÷(소수)

예) 2.88÷2.4의 계산

방법 1 288÷240을 이용하여 계산하기

100배
2.88÷2.4=1.2   288÷240=1.2
100배

$$2.40 \overline{)2.88} \rightarrow 240 \overline{)288.0}$$

```
        1.2
240)288.0
    240
     480
     480
       0
```

방법 2 28.8÷24를 이용하여 계산하기

10배
2.88÷2.4=1.2   28.8÷24=❶☐
10배

$$2.4 \overline{)2.88} \rightarrow 24 \overline{)28.8}$$

```
       1.2
24)28.8
   24
    48
    48
     0
```

정답 ❶ 1.2

▶ 정답 및 풀이 10쪽

1-1 10.32÷2.4를 계산하려고 합니다. 소수점을 바르게 옮긴 것에 ○표 하세요.

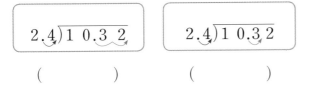

(   )   (   )

1-2 6.46÷1.9를 계산하려고 합니다. 소수점을 바르게 옮긴 것에 ○표 하세요.

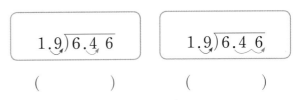

(   )   (   )

2-1 ☐ 안에 알맞은 수를 써넣으세요.

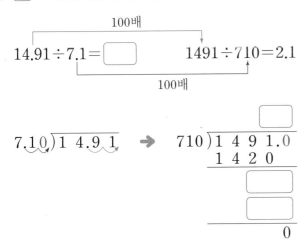

2-2 ☐ 안에 알맞은 수를 써넣으세요.

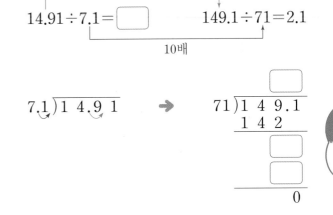

3-1 계산해 보세요.

(1) 1.6⟌4.1 6   (2) 3.3⟌1 4.5 2

3-2 계산해 보세요.

(1) 7.95÷5.3

(2) 29.14÷6.2

4-1 빈칸에 알맞은 수를 써넣으세요.

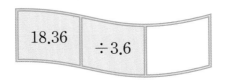

4-2 빈칸에 알맞은 수를 써넣으세요.

1일

기초 집중 연습

기본 문제 연습

1-1 계산해 보세요.

(1) $9.24 \div 0.77$

(2) $1.25 \div 0.25$

1-2 계산해 보세요.

(1) $6.02 \div 4.3$

(2) $9.36 \div 2.4$

2-1 ☐ 안에 알맞은 수를 써넣으세요.

$15.75 \div 2.25 = 1575 \div \boxed{} = \boxed{}$

2-2 ☐ 안에 알맞은 수를 써넣으세요.

$2.25 \div 0.5 = 22.5 \div \boxed{} = \boxed{}$

3-1 큰 수를 작은 수로 나눈 몫을 구하세요.

1.37	8.22

( )

3-2 큰 수를 작은 수로 나눈 몫을 구하세요.

54.45	9.9

( )

4-1 크기를 비교하여 ◯ 안에 >, =, <를 알맞게 써넣으세요.

$\boxed{4.08 \div 0.34}$ ◯ $\boxed{10}$

4-2 계산 결과가 더 큰 것의 기호를 써 보세요.

┌──────────────────────────────┐
│ ㉠ $3.52 \div 2.2$ ㉡ $6.44 \div 4.6$ │
└──────────────────────────────┘

( )

▶ 정답 및 풀이 11쪽

  연산 → 문장제 연습   '■는 ▲의 몇 배'는 ■÷▲로 구하자.

연산 계산해 보세요.

$$1.36 \div 0.34$$

이 나눗셈은
어떤 상황에서 이용될까요?

5-1 빨간색 끈은 1.36 m, 노란색 끈은 0.34 m입니다. 빨간색 끈의 길이는 노란색 끈의 길이의 몇 배인가요?

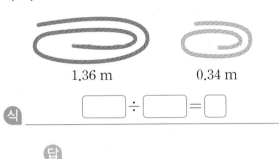

1.36 m   0.34 m

식 ◻ ÷ ◻ = ◻

답 _____

5-2 강아지의 무게는 4.06 kg, 고양이의 무게는 2.9 kg입니다. 강아지의 무게는 고양이의 무게의 몇 배인가요?

식 _____

답 _____

5-3 집에서 도서관까지의 거리는 집에서 학교까지의 거리의 몇 배인가요?

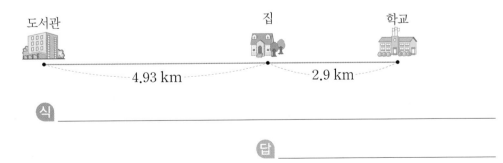

도서관   집   학교

4.93 km   2.9 km

식 _____

답 _____

 교과서 기초 개념

• (자연수)÷(소수 한 자리 수)

예 17÷8.5의 계산

나누는 수가 소수 한 자리 수이므로 분모가 10인 분수로 고쳐서 분수의 나눗셈으로 계산해 보자.

세로셈으로 계산해 보자.

$$17 \div 8.5 = \frac{170}{10} \div \frac{85}{10}$$
$$= 170 \div 85$$
$$= \boxed{❶}$$

$$8.5)\overline{17.0} \rightarrow 85)\overline{170}$$

소수점을 옮겨야 할 자리에 수가 없으므로 0을 1개 씁니다.

$$\begin{array}{r} 2 \\ 85)\overline{170} \\ \underline{170} \\ \boxed{❷} \end{array}$$

정답 ❶ 2   ❷ 0

[**1**-1 ~ **1**-2] 소수의 나눗셈을 분수의 나눗셈으로 계산하려고 합니다. ⬜ 안에 알맞은 수를 써넣으세요.

1-1 $9 \div 1.5 = \dfrac{90}{10} \div \dfrac{\boxed{}}{10}$

$= 90 \div \boxed{} = \boxed{}$

1-2 $42 \div 8.4 = \dfrac{420}{10} \div \dfrac{\boxed{}}{10}$

$= 420 \div \boxed{} = \boxed{}$

2-1 ⬜ 안에 알맞은 수를 써넣으세요.

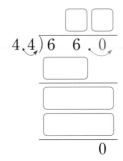

2-2 ⬜ 안에 알맞은 수를 써넣으세요.

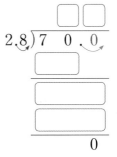

3-1 계산해 보세요.

(1) $0.4\,\overline{)\,3\ 4}$

(2) $2.5\,\overline{)\,6\ 0}$

3-2 계산해 보세요.

(1) $18 \div 1.2$

(2) $24 \div 1.6$

4-1 빈칸에 알맞은 수를 써넣으세요.

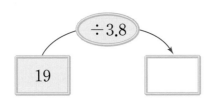

4-2 빈칸에 알맞은 수를 써넣으세요.

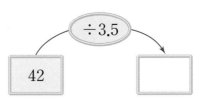

 교과서 기초 개념

• (자연수)÷(소수 두 자리 수)

예 3÷0.75의 계산

> 나누는 수가 소수 두 자리 수이므로
> 분모가 100인 분수로 고쳐서
> 분수의 나눗셈으로 계산해 보자.

> 세로셈으로 계산해 보자.

$$3 \div 0.75 = \frac{300}{100} \div \frac{75}{100}$$

$$= 300 \div 75$$

$$= \boxed{❶}$$

$$0.75\overline{)3.00} \rightarrow 75\overline{)300}$$

소수점을 옮겨야 할 자리에 수가
없으므로 0을 2개 씁니다.

개념·원리 확인

▶ 정답 및 풀이 11쪽

[**1**-1 ~ **1**-2] 소수의 나눗셈을 분수의 나눗셈으로 계산하려고 합니다. ☐ 안에 알맞은 수를 써넣으세요.

1-1 $8 \div 0.25 = \dfrac{\boxed{}}{100} \div \dfrac{25}{100}$

$\qquad = \boxed{} \div 25 = \boxed{}$

1-2 $12 \div 0.15 = \dfrac{1200}{100} \div \dfrac{\boxed{}}{100}$

$\qquad = 1200 \div \boxed{} = \boxed{}$

2-1 ☐ 안에 알맞은 수를 써넣으세요.

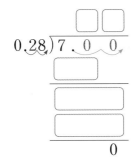

2-2 ☐ 안에 알맞은 수를 써넣으세요.

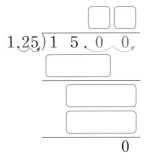

3-1 계산해 보세요.

(1) $2.44 \overline{)6\,1}$ (2) $2.25 \overline{)9}$

3-2 계산해 보세요.

(1) $31 \div 1.24$

(2) $157 \div 3.14$

4-1 자연수를 소수로 나눈 몫을 구하세요.

6	0.12

(   )

4-2 자연수를 소수로 나눈 몫을 빈칸에 써넣으세요.

2.75	66

기초 집중 연습

기본 문제 연습

1-1 계산해 보세요.

(1) $42 \div 2.1$

(2) $8 \div 0.2$

1-2 계산해 보세요.

(1) $17 \div 4.25$

(2) $32 \div 1.28$

2-1 ☐ 안에 알맞은 수를 써넣으세요.

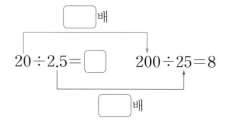

2-2 ☐ 안에 알맞은 수를 써넣으세요.

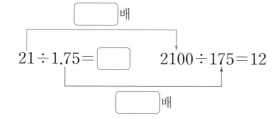

3-1 ☐ 안에 알맞은 수를 써넣으세요.

$36 \div 9 = 4$

$36 \div 0.9 = \boxed{}$

$36 \div 0.09 = \boxed{}$

3-2 ☐ 안에 알맞은 수를 써넣으세요.

$0.24 \div 0.08 = 3$

$2.4 \div 0.08 = \boxed{}$

$24 \div 0.08 = \boxed{}$

4-1 크기를 비교하여 ◯ 안에 >, =, <를 알맞게 써넣으세요.

$$\boxed{18 \div 0.3} \quad \bigcirc \quad \boxed{6}$$

4-2 계산 결과가 더 큰 것의 기호를 써 보세요.

$\bigcirc \ 12 \div 0.48 \qquad \bigcirc \ 27 \div 2.25$

( )

▶ 정답 및 풀이 12쪽

연산 → 문장제 연습 '똑같이 나누면'은 나눗셈으로 구하자.

연산 계산해 보세요.

$$10 \div 2.5$$

이 나눗셈은
어떤 상황에서 이용될까요?

5-1 밀가루가 10 kg 있습니다. 이 밀가루를 한 봉지에 2.5 kg씩 나누어 담으면 모두 몇 봉지가 되나요?

식 $\boxed{} \div \boxed{} = \boxed{}$

답 _____

5-2 식혜가 15 L 있습니다. 이 식혜를 한 병에 3.75 L씩 나누어 담으면 모두 몇 병이 되나요?

식 _____

답 _____

5-3 철사를 사용하여 한 변의 길이가 2.8 cm인 정삼각형을 만들려고 합니다. 철사 126 cm로 같은 크기의 정삼각형을 몇 개까지 만들 수 있는지 알아보세요.

⑴ 정삼각형 한 개를 만드는 데 필요한 철사의 길이는 몇 cm인가요?

(   )

⑵ 정삼각형을 몇 개까지 만들 수 있나요?

(   )

2주
2일

몫을 반올림하여
일의 자리까지 나타내기
92.2÷3=30.733······ → 31

 교과서 기초 개념

• **몫을 반올림하여 나타내기** ← 나눗셈의 몫이 나누어떨어지지 않아 정확하게 구할 수 없을 때 몫을 반올림하여 나타낼 수 있습니다.

> ① 구하려는 자리 **바로 아래 자리까지 계산**합니다.
> ② 구하려는 자리 바로 아래 자리의 숫자가 **0, 1, 2, 3, 4**이면 버리고, **5, 6, 7, 8, 9**이면 올립니다.

예) 92.2÷3의 계산

$$92.2÷3=30.733······$$

(1) 몫을 반올림하여 일의 자리까지 나타내기

5와 같거나 5보다 큰 수이므로 올려.

92.2÷3=30.7······ → **①** ⬜

(2) 몫을 반올림하여 소수 첫째 자리까지 나타내기

5보다 작은 수이므로 버려.

92.2÷3=30.73······ → **30.7**

정답 ❶ 31

1-1 나눗셈식을 보고 ☐ 안에 알맞은 수를 써넣으세요.

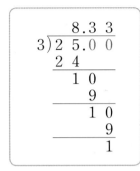

```
        8. 3 3
3 ) 2 5. 0 0
    2 4
    ─────
      1 0
        9
    ─────
        1 0
          9
    ─────
          1
```

(1) 몫을 반올림하여 일의 자리까지 나타내기

소수 첫째 자리 숫자 ➡ ☐

반올림한 몫 ➡ ☐

(2) 몫을 반올림하여 소수 첫째 자리까지 나타내기

소수 둘째 자리 숫자 ➡ ☐

반올림한 몫 ➡ ☐

1-2 나눗셈식을 보고 물음에 답하세요.

```
        2. 7 1
7 ) 1 9. 0 0
    1 4
    ─────
      5 0
      4 9
    ─────
        1 0
          7
    ─────
          3
```

(1) 몫을 반올림하여 일의 자리까지 나타내세요.

(   )

(2) 몫을 반올림하여 소수 첫째 자리까지 나타내세요.

(   )

2-1 몫을 반올림하여 소수 첫째 자리까지 바르게 나타낸 것에 ◯표 하세요.

$1.4 \div 6 = 0.23 \cdots \Rightarrow 0.2$ (   )

$4.1 \div 7 = 0.58 \cdots \Rightarrow 0.5$ (   )

2-2 몫을 반올림하여 소수 둘째 자리까지 바르게 나타낸 것에 ◯표 하세요.

$4 \div 11 = 0.363 \cdots \Rightarrow 0.37$ (   )

$8 \div 7 = 1.142 \cdots \Rightarrow 1.14$ (   )

3-1 몫을 반올림하여 일의 자리까지 나타내세요.

$9) 4\ 7$

(   )

3-2 몫을 반올림하여 소수 첫째 자리까지 나타내세요.

$7) 3\ 9$

(   )

2주

3일

교과서 기초 개념

• 나누어 주고 남는 양

예 6.2÷2의 몫과 남는 양

방법1 뺄셈으로 구하기

2	2	2

6.2

$$6.2 - 2 - 2 - 2 = 0.2$$
3번

몫 3

남는 양 ❶ [　　]

방법2 나눗셈으로 구하기

$$\begin{array}{r} 3 \\ 2\overline{)6.2} \\ 6 \\ \hline 0.2 \end{array}$$

← 몫을 자연수까지 구합니다.

← 남는 양의 소수점은 나누어지는 수의 소수점의 위치와 같게 합니다.

몫 3

남는 양 ❷ [　　]

[1-1 ~ 2-1] 참기름 12.5 L를 한 병에 3 L씩 나누어 담으려고 합니다. 물음에 답하세요.

1-1 뺄셈식을 보고 ☐ 안에 알맞은 수를 써넣으세요.

$$12.5-3-3-3-3=0.5$$

나누어 담을 수 있는 병의 수: ☐ 병
남는 참기름의 양: ☐ L

[1-2 ~ 2-2] 밀가루 14.3 kg을 한 봉지에 4 kg씩 나누어 담으려고 합니다. 물음에 답하세요.

1-2 뺄셈식을 보고 ☐ 안에 알맞은 수를 써넣으세요.

$$14.3-4-4-4=2.3$$

나누어 담을 수 있는 봉지 수: ☐ 봉지
남는 밀가루의 양: ☐ kg

2-1 나눗셈식을 보고 ☐ 안에 알맞은 수를 써넣으세요.

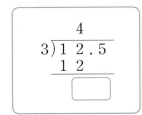

나누어 담을 수 있는 병의 수: ☐ 병
남는 참기름의 양: ☐ L

2-2 나눗셈식을 보고 ☐ 안에 알맞은 수를 써넣으세요.

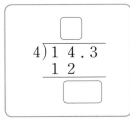

나누어 담을 수 있는 봉지 수: ☐ 봉지
남는 밀가루의 양: ☐ kg

3-1 나눗셈의 몫을 자연수까지 구하고 남는 양을 구하세요.

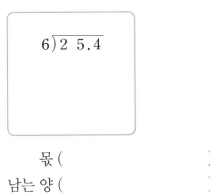

몫 (   )
남는 양 (   )

3-2 나눗셈의 몫을 자연수까지 구하고 남는 양을 구하세요.

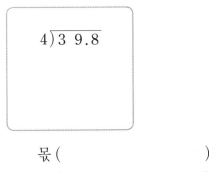

몫 (   )
남는 양 (   )

기본 문제 연습

1-1 몫을 반올림하여 소수 첫째 자리까지 나타내세요.

$$2.8 \div 1.3 = 2.1538\cdots\cdots$$

( )

1-2 몫을 반올림하여 소수 둘째 자리까지 나타내세요.

$$5.4 \div 7 = 0.7714\cdots\cdots$$

( )

2-1 나눗셈의 몫을 자연수까지 구하여 ☐ 안에 쓰고, 남는 양을 ◯ 안에 써넣으세요.

2-2 나눗셈의 몫을 자연수까지 구하여 ☐ 안에 쓰고, 남는 양을 ◯ 안에 써넣으세요.

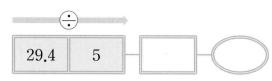

3-1 나눗셈의 몫을 반올림하여 일의 자리까지 나타내세요.

$$45.3 \div 7$$

( )

3-2 나눗셈의 몫을 반올림하여 소수 둘째 자리까지 나타내세요.

$$29.3 \div 6$$

( )

4-1 계산 결과를 비교하여 ◯ 안에 >, =, <를 알맞게 써넣으세요.

16÷3의 몫을 반올림하여 일의 자리까지 나타낸 수   ◯   16÷3

4-2 계산 결과를 비교하여 ◯ 안에 >, =, <를 알맞게 써넣으세요.

16÷7의 몫을 반올림하여 소수 첫째 자리까지 나타낸 수   ◯   16÷7

연산 → 문장제 연습　나누고 남는 양을 구하려면 몫을 자연수까지 구하고 남는 양을 구하자.

연산 나눗셈의 몫을 자연수까지 구하고 남는 양을 구하세요.

$$16.3 \div 4$$

몫 (　　　　　　　　　)

남는 양 (　　　　　　　　　)

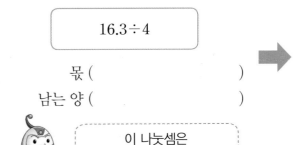

이 나눗셈은 어떤 상황에서 이용될까요?

5-1 리본 16.3 m를 한 사람에게 4 m씩 나누어 주려고 합니다. 몇 명에게 나누어 줄 수 있고, 남는 리본의 길이는 몇 m인지 구하세요.

사람 수 (　　　　　　　　　)

남는 리본의 길이 (　　　　　　　　　)

5-2 페인트 21.8 L를 한 통에 4 L씩 나누어 담으려고 합니다. 몇 통에 나누어 담을 수 있고, 남는 페인트의 양은 몇 L인지 구하세요.

통의 수 (　　　　　　　　　)

남는 페인트의 양 (　　　　　　　　　)

5-3 소금 19.9 kg을 한 봉지에 3 kg씩 나누어 담으려고 합니다. 몇 봉지에 나누어 담을 수 있고, 남는 소금의 양은 몇 kg인지 구하세요.

봉지 수 (　　　　　　　　　)

남는 소금의 양 (　　　　　　　　　)

 교과서 기초 개념

• 여러 방향에서 본 모양 알아보기

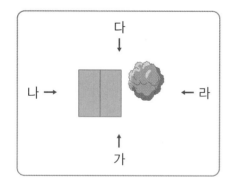

가

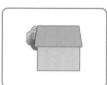

나

다

라

 보는 방향에 따라 보이는 모습이 달라.

나무와 집의 위치, 지붕의 모양을 비교해 봐.

▶정답 및 풀이 13쪽

1-1 다음과 같이 컵을 놓았습니다. 물음에 답하세요.

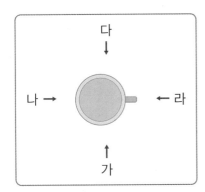

(1) 가에서 본 모양에 ○표 하세요.

( )   ( )

(2) 나에서 본 모양에 ○표 하세요.

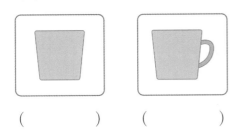

( )   ( )

1-2 다음과 같이 조각을 놓았습니다. 물음에 답하세요.

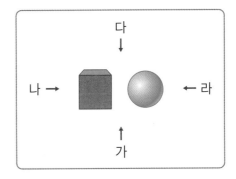

(1) 가에서 본 모양에 ○표 하세요.

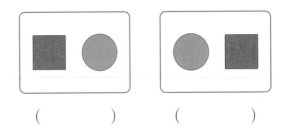

( )   ( )

(2) 라에서 본 모양에 ○표 하세요.

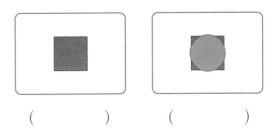

( )   ( )

2주 4일

[**2**-1 ~ **2**-2] 각 사진은 어느 방향에서 찍은 것인지 찾아 번호를 써 보세요.

2-1

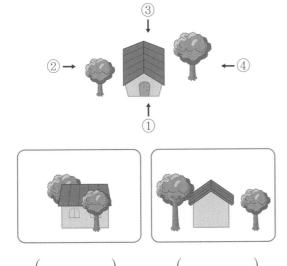

( )   ( )

2-2

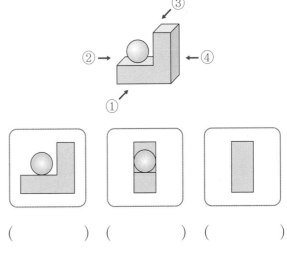

( )   ( )   ( )

공간과 입체

쌓은 모양과 쌓기나무의 개수 알아보기 (1)

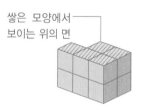

교과서 기초 개념

• 쌓기나무로 쌓은 모양과 위에서 본 모양

쌓은 모양에서 보이는 위의 면

위에서 본 모양

쌓은 모양에서 보이는 위의 면들과 위에서 본 모양이 **다릅니다.**

➡ 숨겨진 쌓기나무가 있습니다.

위에서 본 모양을 보면 보이지 않는 부분에 숨겨진 쌓기나무가 있는지 알 수 있어.

쌓은 모양에서 보이는 위의 면

위에서 본 모양

쌓은 모양에서 보이는 위의 면들과 위에서 본 모양이 **같습니다.**

➡ 숨겨진 쌓기나무가 없습니다.

똑같은 모양으로 쌓는 데 필요한 쌓기나무는
❶ ☐ 개입니다.

정답 ❶ 10

[1-1 ~ 1-2] 쌓기나무로 쌓은 모양을 보고 위에서 본 모양을 그렸습니다. 바르게 그린 것에 ○표 하세요.

1-1

위에서 본 모양	위에서 본 모양
( )	( )

1-2

위에서 본 모양	위에서 본 모양
( )	( )

[2-1 ~ 2-2] 쌓기나무로 쌓은 모양을 보고 위에서 본 모양을 그렸습니다. 쌓은 모양으로 알맞은 것에 ○표 하세요.

2-1

위에서 본 모양

( )　　　　( )

2-2

위에서 본 모양

( )　　　　( )

[3-1 ~ 3-2] 주어진 모양과 똑같이 쌓는 데 필요한 쌓기나무의 개수를 구하세요.

3-1

위에서 본 모양

( )

3-2

위에서 본 모양

( )

4일 기초 집중 연습

🐟 기본 문제 연습

[1-1 ~ 1-2] 뒤에 숨겨진 쌓기나무가 있으면 ◯표, 없으면 ✕표 하세요.

1-1

위에서 본 모양

(   )

1-2

위에서 본 모양

(   )

[2-1 ~ 2-2] 각 사진은 어느 방향에서 찍은 것인지 찾아 번호를 써 보세요.

2-1

③
↓
② →   ← ④
↑
①

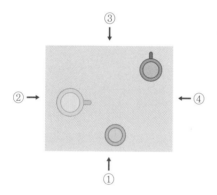

(   )   (   )

2-2

③
↓
② →   ← ④
↑
①

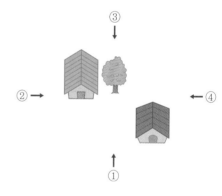

(   )   (   )

[3-1 ~ 3-2] 왼쪽 모양을 위에서 내려다보면 어떤 모양인지 찾아 기호를 써 보세요.

3-1

위
↓

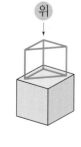

가   나

(   )

3-2

위
↓

가   나

(   )

▶정답 및 풀이 14쪽

 기초 → 기본 연습 필요한 쌓기나무의 개수를 구하려면 위에서 본 모양을 확인하자.

기초 쌓기나무로 쌓은 모양과 위에서 본 모양을 보고 알맞은 말에 ○표 하세요.

위에서 본 모양

보이지 않는 부분에 쌓기나무가 (있습니다 , 없습니다).

 위에서 본 모양을 보면 숨겨진 쌓기나무가 있는지 알 수 있어요.

4-1 주어진 모양과 똑같이 쌓는 데 필요한 쌓기나무는 몇 개인가요?

위에서 본 모양

답 _____

2주 4일

4-2 주어진 모양과 똑같이 쌓는 데 필요한 쌓기나무는 몇 개인가요?

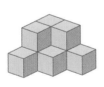 

위에서 본 모양

답 _____

4-3 주어진 모양과 똑같이 쌓는 데 필요한 쌓기나무는 몇 개인가요?

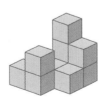 

위에서 본 모양

답 _____

 교과서 기초 개념

- 쌓은 모양을 보고 위, 앞, 옆에서 본 모양 그리기

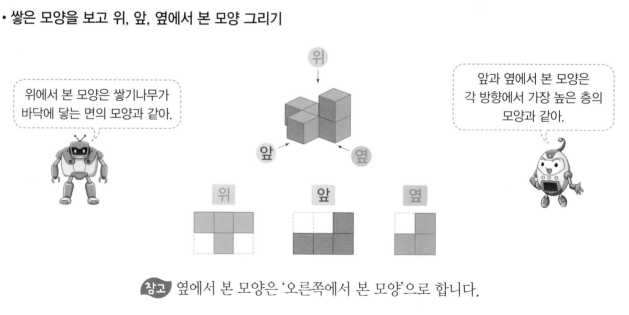

위에서 본 모양은 쌓기나무가 바닥에 닿는 면의 모양과 같아.

앞과 옆에서 본 모양은 각 방향에서 가장 높은 층의 모양과 같아.

참고 옆에서 본 모양은 '오른쪽에서 본 모양'으로 합니다.

[1-1 ~ 2-1] 쌓기나무로 쌓은 모양과 위에서 본 모양입니다. 물음에 답하세요.

[1-2 ~ 2-2] 쌓기나무로 쌓은 모양과 위에서 본 모양입니다. 물음에 답하세요.

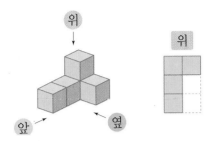

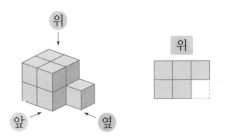

1-1 앞에서 본 모양에 ○표 하세요.

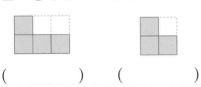

(　　　　)　　(　　　　)

1-2 앞에서 본 모양에 ○표 하세요.

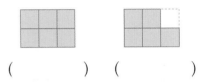

(　　　　)　　(　　　　)

2-1 옆에서 본 모양에 ○표 하세요.

(　　　　)　　(　　　　)

2-2 옆에서 본 모양에 ○표 하세요.

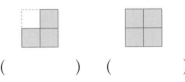

(　　　　)　　(　　　　)

3-1 쌓기나무로 쌓은 모양과 위에서 본 모양입니다. 앞과 옆에서 본 모양을 각각 완성해 보세요.

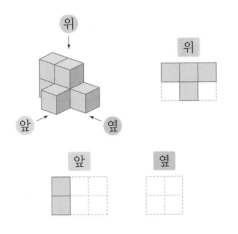

3-2 쌓기나무로 쌓은 모양과 위에서 본 모양입니다. 앞과 옆에서 본 모양을 각각 완성해 보세요.

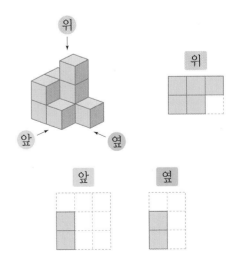

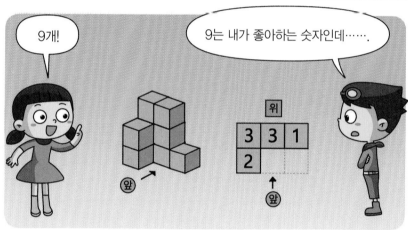

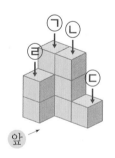 교과서 기초 개념

- 쌓은 모양을 보고 위에서 본 모양에 수를 쓰기

위에서 본 모양의 각 자리에 기호를 붙인 후 각 자리에 쌓은 쌓기나무의 개수를 구합니다.

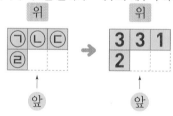

➡ 똑같은 모양으로 쌓는 데 필요한 쌓기나무는 **3＋3＋1＋2＝**❶[   ](개)입니다.

정답 ❶ 9

[1-1 ~ 2-1] 쌓기나무로 쌓은 모양과 위에서 본 모양에 기호를 붙였습니다. 물음에 답하세요.

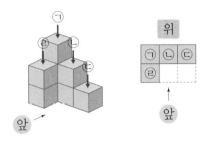

[1-2 ~ 2-2] 쌓기나무로 쌓은 모양과 위에서 본 모양에 기호를 붙였습니다. 물음에 답하세요.

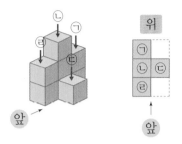

1-1 각 기호에 쌓은 쌓기나무의 개수를 구하세요.

1-2 각 기호에 쌓은 쌓기나무의 개수를 구하세요.

2-1 똑같은 모양으로 쌓는 데 필요한 쌓기나무는 몇 개인가요?

(   )

2-2 똑같은 모양으로 쌓는 데 필요한 쌓기나무는 몇 개인가요?

(   )

3-1 쌓기나무로 쌓은 모양을 보고 위에서 본 모양에 수를 써 보세요.

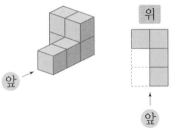

3-2 쌓기나무로 쌓은 모양을 보고 위에서 본 모양에 수를 써 보세요.

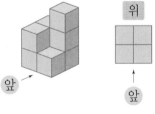

4-1 쌓기나무로 쌓은 모양을 보고 위에서 본 모양에 수를 썼습니다. 앞에서 본 모양을 찾아 ○표 하세요.

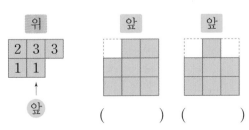

(   ) (   )

4-2 쌓기나무로 쌓은 모양을 보고 위에서 본 모양에 수를 썼습니다. 앞에서 본 모양을 찾아 ○표 하세요.

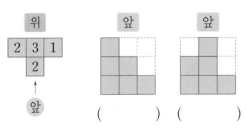

(   ) (   )

5일 기초 집중 연습

기본 문제 연습

[**1**-1 ~ **1**-2] 쌓기나무로 쌓은 모양과 위에서 본 모양입니다. 옆에서 본 모양을 그려 보세요.

1-1

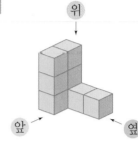

1-2

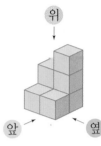

[**2**-1 ~ **2**-2] 쌓기나무로 쌓은 모양을 보고 위에서 본 모양에 수를 썼습니다. 앞과 옆에서 본 모양을 찾아 선으로 이어 보세요.

2-1

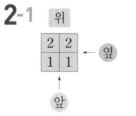

2-2

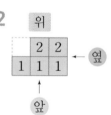

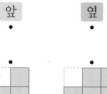

[**3**-1 ~ **3**-2] 쌓기나무로 쌓은 모양을 보고 위에서 본 모양에 수를 썼습니다. 앞에서 본 모양을 그려 보세요.

3-1

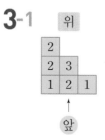

3-2

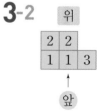

78 • 똑똑한 하루 수학

▶ 정답 및 풀이 15쪽

 기초 → 기본 연습 | 쌓기나무로 쌓은 모양을 찾을 때에는 위, 앞, 옆에서 본 모양을 비교하자.

기초 쌓기나무를 쌓은 모양과 위에서 본 모양입니다. 앞과 옆에서 본 모양을 각각 그려 보세요.

4-1 쌓기나무로 쌓은 모양을 위, 앞, 옆에서 본 모양입니다. 쌓은 모양으로 알맞은 것의 기호를 써 보세요.

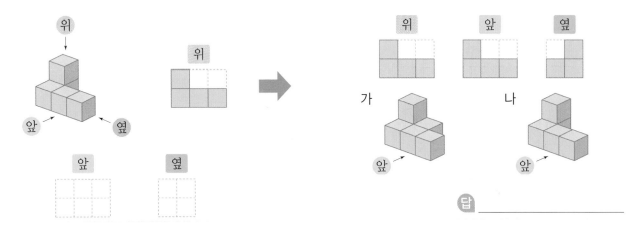

답 _____

4-2 쌓기나무로 쌓은 모양을 위, 앞, 옆에서 본 모양입니다. 쌓은 모양으로 알맞은 것을 찾아 기호를 써 보세요.

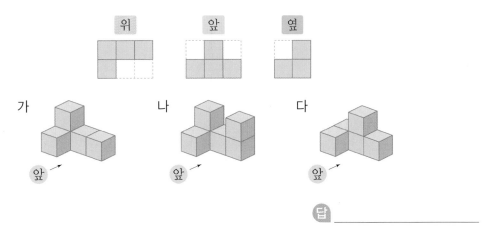

답 _____

4-3 쌓기나무로 쌓은 모양을 위, 앞, 옆에서 본 모양입니다. 쌓은 모양으로 알맞은 것을 찾아 기호를 써 보세요.

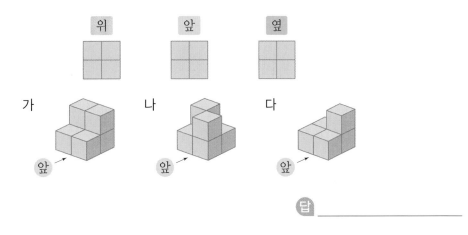

답 _____

1 16.44÷2.74를 계산하려고 합니다. 소수점을 바르게 옮긴 것에 ○표 하세요.

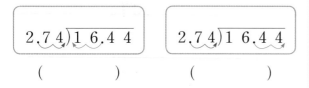

(   )   (   )

2 계산해 보세요.

$$2.1\overline{)7.1\,4}$$

3 ☐ 안에 알맞은 수를 써넣으세요.

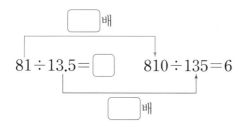

$81÷13.5=$ ☐ $810÷135=6$

4 다음과 같이 컵을 놓았을 때 사진을 찍은 위치를 찾아 기호를 써 보세요.

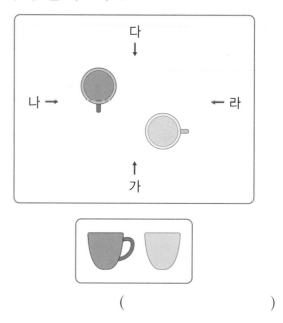

(   )

5 주어진 모양과 똑같이 쌓는 데 필요한 쌓기나무는 몇 개인가요?

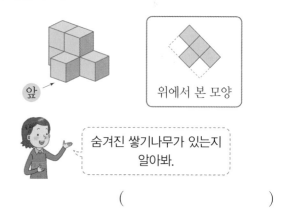

위에서 본 모양

숨겨진 쌓기나무가 있는지 알아봐.

(   )

6 쌓기나무로 쌓은 모양을 보고 위에서 본 모양에 수를 썼습니다. 관계있는 것끼리 선으로 이어 보세요.

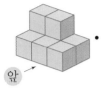

앞

1	1	2
2	1	1

앞

앞

2	2	1
1	1	1

앞

앞

2	1	2
2	1	1

앞

7 나눗셈의 몫을 반올림하여 소수 첫째 자리까지 나타내세요.

$$12 \div 7$$

(   )

8 계산 결과가 더 큰 것의 기호를 써 보세요.

㉠ 24÷1.6   ㉡ 43÷2.15

(   )

9 감자 26.5 kg을 한 상자에 5 kg씩 담으려고 합니다. 몇 상자에 담을 수 있고, 남는 감자는 몇 kg인지 구하세요.

상자 수 (   )
남는 감자의 양 (   )

10 쌓기나무로 쌓은 모양을 보고 위에서 본 모양에 수를 썼습니다. 앞에서 본 모양을 그려 보세요.

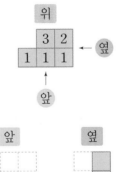

위

	3	2
1	1	1

←옆

앞

앞   옆

특강 〔창의·융합·코딩〕

윤지의 어릴 적 모습은?

창의 **1** 윤지네 집에 친구들이 놀러 왔습니다.

 힌트를 이용하여 어렸을 때의 윤지를 찾아 ○표 하세요.

계산 결과	2	3	4	4.6	6.6	8.6
힌트	노란색	파란색	빨간색	목도리	조끼	모자

쌓기나무의 주인은?

준서, 리안, 지후가 각각 쌓기나무로 쌓은 모양입니다.

세 사람이 쌓은 모양을 찾아 기호를 써 보세요.

준서	리안	지후

융합 3 수현이는 경복궁을 방문하여 경회루를 보러 왔습니다. 보기 와 같은 사진이 나오려면 어느 방향에서 찍어야 하나요?

경복궁 안에 있는 경회루는 국보 제224호야.
나라에 좋은 일이 있을 때 축제를 하던 곳이지.

답 _____

융합 4 태양에서 지구까지의 거리를 1로 보았을 때 태양에서 화성까지의 거리와 태양에서 해왕성까지의 거리를 나타낸 것입니다. 태양에서 해왕성까지의 거리는 태양에서 화성까지의 거리의 몇 배인가요?

태양에서 화성까지의 거리: 1.5   태양에서 해왕성까지의 거리: 30

답 _____

창의 5 마트에서 설탕을 팔고 있습니다. 가 설탕과 나 설탕 중 어느 설탕이 1 kg당 가격이 더 저렴한지 기호를 써 보세요.

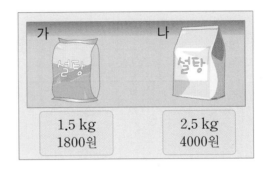

답 _____

코딩 6 찰흙 12.4 kg을 한 덩이에 3 kg씩 나누어 놓을 때 남는 찰흙의 양을 구할 수 있는 순서도입니다. 출력값을 구하세요.

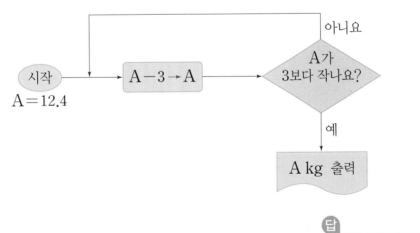

답 _____

창의·융합·코딩

[7~8] 주어진 명령을 시행하였을 때 로봇이 지나간 칸에 있는 쌓기나무를 갖게 됩니다. 이 쌓기나무를 모두 사용하여 만들 수 있는 모양을 찾아 기호를 써 보세요.

코딩 7

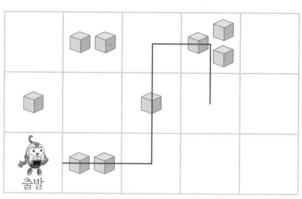

가

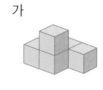

위에서 본 모양

나

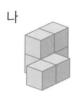

위에서 본 모양

답 _____

코딩 8

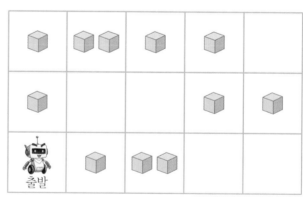

가

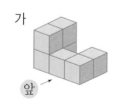
앞

위에서 본 모양

나

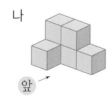
앞

위에서 본 모양

답 _____

규민이는 쌓기나무 11개로 쌓은 모양을 보고 규칙을 정하여 아래와 같이 나타냈습니다.

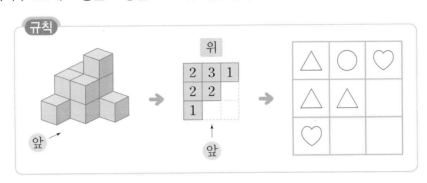

쌓기나무 10개로 쌓은 모양을 보고 위와 같은 규칙으로 나타내세요.

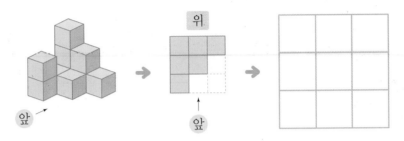

창의10 한 변의 길이가 20 m인 정사각형 모양의 밭의 둘레를 일정한 빠르기로 도는 로봇이 있습니다. 이 로봇이 1분에 4.5 m를 갈 수 있다면 밭의 둘레를 한 바퀴 도는 데 걸리는 시간은 몇 분인지 반올림하여 일의 자리까지 나타내려고 합니다. 물음에 답하세요.

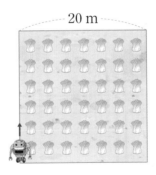

20 m

(1) 로봇이 돌아야 할 거리는 몇 m인지 구하세요.

답 _____

(2) 밭의 둘레를 한 바퀴 도는 데 걸리는 시간은 몇 분인지 반올림하여 일의 자리까지 나타내세요.

답 _____

3주 공간과 입체 / 비례식과 비례배분 / 원의 넓이

이 곳은 세계 문화유산인 화성이예요.

우와~

여기 보이는 장안문에서 출발해 화성행궁까지 갈 거예요. 저 위로 올라가 볼까요?

네.

요즘 지어진 건물보다 훨씬 더 멋진 것 같아요.

그렇지?

전 건축가가 돼서 화성처럼 멋진 건축물을 만들 거에요.

좋은 꿈이구나.

그래서 요즘 쌓기나무로 연습을 하고 있어요. 이건 연습하면서 만든 거야.

1층에 4개, 2층에 3개로 쌓았네.

응, 맞아.

흐흐흐, 어때? 이 화성에 버금갈 정도로 멋지지?

뭐, 뭐라고?

응?! 내 쌓기나무 모양이 더 멋지다고? 하하하~ 그 정도였나!

하아~ 그렇다고 해줄게.

자신감 하나는 최고라니까.

3주에는 무엇을 공부할까? ①

1일 쌓은 모양과 쌓기나무의 개수 ⑷, 여러 가지 모양 만들기
2일 비의 성질, 간단한 자연수의 비로 나타내기
3일 비례식, 비례식의 성질　　**4일** 비례식 활용하기, 비례배분
5일 원주와 지름의 관계, 원주율

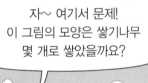

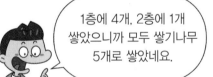

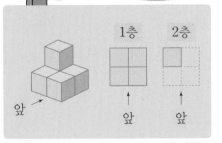

6-1 비와 비율

개껌이 5개,
간식 캔이 2개니까
개껌의 수와 간식 캔의
수의 비는 5 : 2야.
아~ 알았어~ 기다려!

밥!

두 수를 나눗셈으로 비교하기 위해 기호 : 을 사용하여 나타낸 것을 비라고 해.

두 수 5와 2를 비교할 때 5 : 2 라 쓰고 5 대 2라고 읽어.

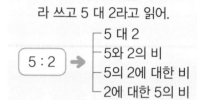

5 : 2 →
- 5 대 2
- 5와 2의 비
- 5의 2에 대한 비
- 2에 대한 5의 비

1-1 ☐ 안에 알맞은 수를 써넣으세요.

2 : 7 →
- 2 대 ☐
- 2와 ☐의 비
- 2의 ☐에 대한 비
- 7에 대한 ☐의 비

1-2 ☐ 안에 알맞은 수를 써넣으세요.

(1) 9 대 4 → ☐ : ☐

(2) 3의 8에 대한 비 → ☐ : ☐

(3) 11과 16의 비 → ☐ : ☐

2-1 그림을 보고 전체에 대한 색칠한 부분의 비를 써 보세요.

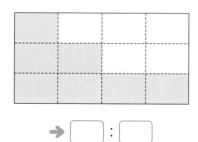

→ ☐ : ☐

2-2 그림을 보고 전체에 대한 색칠한 부분의 비를 써 보세요.

(1)   (2)

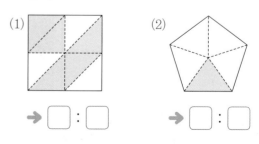

→ ☐ : ☐   → ☐ : ☐

6-1 비와 비율

비 3 : 5에서 기호 : 의 오른쪽에 있는 5는 기준량이고, 왼쪽에 있는 3은 비교하는 양이야.

기준량에 대한 비교하는 양의 크기를 비율이라고 해.
(비율)=(비교하는 양)÷(기준량)
$$=\frac{(비교하는\ 양)}{(기준량)}$$

3주 1일

3-1 비를 보고 기준량과 비교하는 양을 각각 찾아 □ 안에 써넣으세요.

5 : 11

→ 기준량: □ , 비교하는 양: □

3-2 비를 보고 기준량과 비교하는 양을 각각 찾아 써 보세요.

13 : 18

기준량 (   )

비교하는 양 (   )

4-1 비율을 분수로 나타내세요.

(1) 7 : 10

(   )

(2) 14 : 4

(   )

4-2 비율을 소수로 나타내세요.

(1) 5 : 8

(   )

(2) 15 : 20

(   )

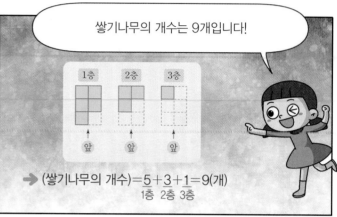

쌓기나무의 개수는 9개입니다!

➔ (쌓기나무의 개수)=5+3+1=9(개)
　　　　　　　　　1층 2층 3층

🐻 교과서 기초 개념

• 쌓기나무로 쌓은 모양을 보고 층별로 나타낸 모양 그리기

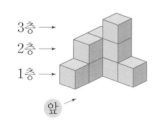

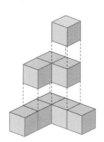

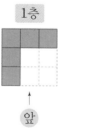

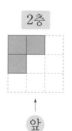

➔ (쌓기나무의 개수)=5+3+1= **❶**　　(개)
　　　　　　　　　1층 2층 3층

1층 모양은 위에서 본 모양과 같아.

층별로 나타낸 모양대로 쌓기나무를 쌓으면 쌓은 모양을 정확하게 알 수 있어서 좋아.

정답 ❶ 9

[1-1 ~ 1-2] 쌓기나무로 쌓은 모양과 1층 모양을 보고 2층 모양을 그려 보세요.

1-1

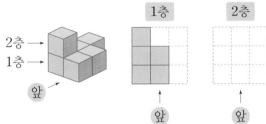

1-2

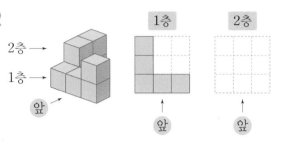

[2-1 ~ 2-2] 쌓기나무로 쌓은 모양과 1층 모양을 보고 2층과 3층 모양을 각각 그려 보세요.

2-1

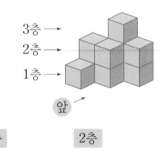

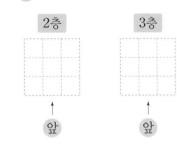

2-2

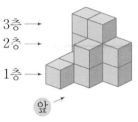

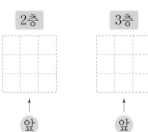

3-1 쌓기나무로 쌓은 모양을 층별로 나타낸 모양입니다. 쌓기나무로 쌓은 모양에 ○표 하세요.

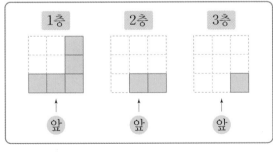

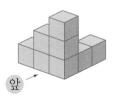 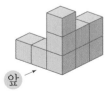

(   ) (   )

3-2 쌓기나무로 쌓은 모양을 층별로 나타낸 모양입니다. 쌓기나무로 쌓은 모양의 기호를 써 보세요.

가   나

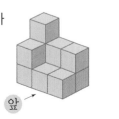   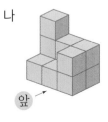

(   )

정답 ① 3

교과서 기초 개념

• 만들 수 있는 서로 다른 모양 찾기

 모양에 쌓기나무 1개를 더 붙여서 만들 수 있는 서로 다른 모양 찾기

→ 모두 [①] 가지 모양을 만들 수 있습니다.

돌리거나 뒤집어서 모양이 같으면 같은 모양이야.

└─ 같은 모양 ─┘

• 두 가지 모양을 사용하여 새로운 모양 만들기

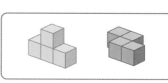

(예)

두 가지 모양을 뒤집거나 돌려서 쌓아 봐.

1-1 쌓기나무 3개에 1개를 더 붙여서 만들 수 있는 모양에 ○표 하세요.

(   )   (   )

1-2 오른쪽 모양에 쌓기나무 1개를 더 붙여서 만든 모양이 아닌 것에 ×표 하세요.

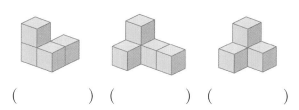

(   ) (   ) (   )

[**2-1** ~ **2-2**] 뒤집거나 돌렸을 때 보기 와 같은 모양이 되는 것에 ○표 하세요.

2-1 보기

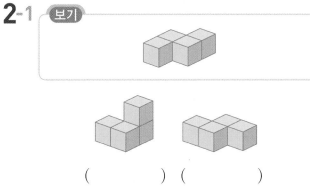

(   ) (   )

2-2 보기

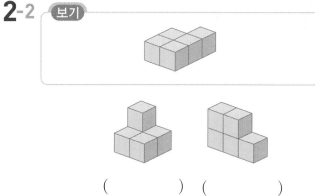

(   ) (   )

3-1 쌓기나무를 4개씩 붙여서 만든 두 가지 모양을 사용하여 만들 수 있는 모양에 ○표 하세요.

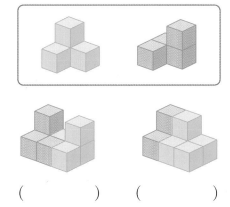

(   )   (   )

3-2 쌓기나무를 4개씩 붙여서 만든 두 가지 모양을 사용하여 만들 수 없는 모양에 ×표 하세요.

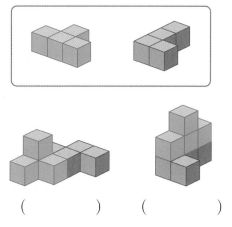

(   ) (   )

🐸 **기본 문제 연습**

1-1 쌓기나무로 쌓은 모양을 보고 1층과 2층 모양을 각각 그려 보세요.

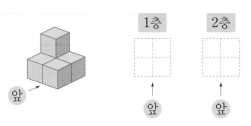

1-2 쌓기나무 3개에 1개를 더 붙여서 만들 수 있는 모양이 아닌 것에 ×표 하세요.

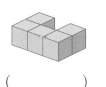　　

(　　　　　)　　(　　　　　)

2-1 가, 나, 다 모양 중에서 두 가지를 사용하여 오른쪽 모양을 만들었습니다. 사용한 두 가지 모양을 찾아 기호를 써 보세요.

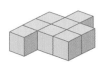

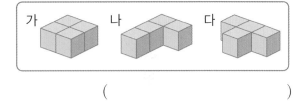

(　　　　　　　　　　　)

2-2 가, 나, 다 모양 중에서 두 가지를 사용하여 오른쪽 모양을 만들었습니다. 사용한 두 가지 모양을 찾아 기호를 써 보세요.

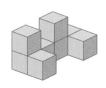

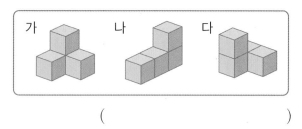

(　　　　　　　　　　　)

3-1 쌓기나무 4개로 만든 모양입니다. 서로 같은 모양끼리 선으로 이어 보세요.

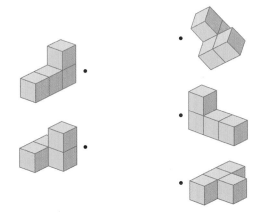

3-2 쌓기나무 4개로 만든 모양입니다. 서로 같은 모양끼리 선으로 이어 보세요.

기초 → 기본 연습   쌓기나무의 개수는 각 층에 색칠된 칸 수를 세어 구하자.

기초 쌓기나무로 쌓은 모양을 층별로 나타낸 모양입니다. 위에서 본 모양을 그려 보세요.

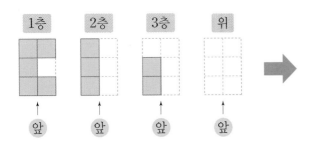

 위에서 본 모양과 모양이 같은 층은 몇 층일까요?

4-1 쌓기나무로 쌓은 모양을 층별로 나타낸 모양입니다. 위에서 본 모양에 수를 쓰는 방법으로 나타내고, 똑같은 모양으로 쌓는 데 필요한 쌓기나무의 개수를 구하세요.

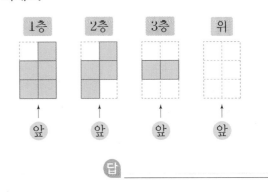

답 _____

4-2 쌓기나무로 쌓은 모양을 층별로 나타낸 모양입니다. 위에서 본 모양에 수를 쓰는 방법으로 나타내고, 똑같은 모양으로 쌓는 데 필요한 쌓기나무의 개수를 구하세요.

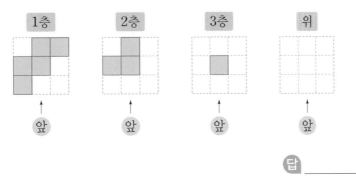

답 _____

4-3 쌓기나무로 쌓은 모양을 층별로 나타낸 모양입니다. 앞에서 본 모양을 그려 보고, 똑같은 모양으로 쌓는 데 필요한 쌓기나무의 개수를 구하세요.

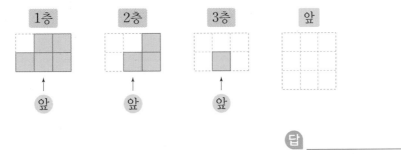

답 _____

$3:2$

$\rightarrow (3 \times 3):(2 \times 3)$

$\rightarrow 9:6$

빨간색 환: 9알
파란색 환: 6알

교과서 기초 개념

• 비의 성질(1)

비 4 : 3에서 기호 ' : ' **앞**에 있는 4를 **전항**, **뒤**에 있는 3을 **후항**이라고 합니다.

> 비의 전항과 후항에 **0**이 아닌 같은 수를 **곱하여도** 비율은 같습니다.

$$4:3 \xrightarrow{\times 2} 8:6$$

$$\xleftarrow{\times 2}$$

4 : 3의 비율 ➡ $\dfrac{4}{3}$, 8 : 6의 비율 ➡ $\dfrac{8}{6} = \dfrac{❶}{3}$

비율이 같습니다.

• 비의 성질(2)

> 비의 전항과 후항을 **0**이 아닌 같은 수로 **나누어도** 비율은 같습니다.

$$6:4 \xrightarrow{\div 2} 3:2$$

$$\xleftarrow{\div 2}$$

6 : 4의 비율 ➡ $\dfrac{6}{4} = \dfrac{3}{❷}$, 3 : 2의 비율 ➡ $\dfrac{3}{2}$

비율이 같습니다.

> 분모가 0인 분수는 없으므로 6 : 4의 전항과 후항을 0으로 나눌 수 없어.

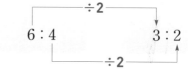

정답 ❶ 4 ❷ 2

1-1 비를 보고 ☐ 안에 알맞은 수를 써넣으세요.

(1)   2 : 1   ➡ 전항: ☐ , 후항: ☐

(2)   5 : 4   ➡ 전항: ☐ , 후항: ☐

1-2 다음에서 설명하는 비를 써 보세요.

(1) 전항이 3, 후항이 5인 비 ➡ ☐ : ☐

(2) 후항이 7, 전항이 9인 비 ➡ ☐ : ☐

[**2-1 ~ 2-4**] 비의 성질을 이용하여 비율이 같은 비를 만들려고 합니다. ☐ 안에 알맞은 수를 써넣으세요.

2-1

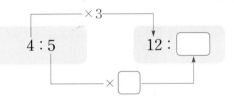

2-2

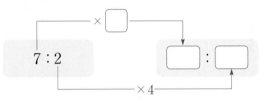

2-3

2-4

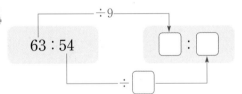

[**3-1 ~ 3-2**] 비의 성질을 이용하여 주어진 비와 비율이 같은 비를 찾아 ◯표 하세요.

3-1   9 : 4   27 : 12   20 : 18

3-2   16 : 56   6 : 13   2 : 7

3주 2일

🐼 **교과서 기초 개념**

• **간단한 자연수의 비로 나타내기**

(1) 소수의 비를 간단한 자연수의 비로 나타내기

   예 $0.3 : 0.7 \Rightarrow (0.3 \times \mathbf{10}) : (0.7 \times \mathbf{10})$

   $\Rightarrow 3 : 7$

전항과 후항에 10, 100, 1000……을 곱해.

(2) 분수의 비를 간단한 자연수의 비로 나타내기

   예 $\dfrac{1}{3} : \dfrac{1}{2} \Rightarrow \left(\dfrac{1}{3} \times \mathbf{6}\right) : \left(\dfrac{1}{2} \times \mathbf{6}\right) \Rightarrow 2 : 3$

전항과 후항에 두 분모의 공배수를 곱해.

(3) 자연수의 비를 간단한 자연수의 비로 나타내기

   예 $8 : 4 \Rightarrow (8 \div \mathbf{4}) : (4 \div \mathbf{4})$

   $\Rightarrow \boxed{\ ❶\ } : 1$

전항과 후항을 두 수의 공약수로 나눠.

정답 ❶ 2

개념·원리 확인

▶ 정답 및 풀이 19쪽

[**1**-1 ~ **1**-2] 간단한 자연수의 비로 나타내려고 합니다. ☐ 안에 알맞은 수를 써넣으세요.

1-1 $0.6 : 1.3 \rightarrow (0.6 \times 10) : (1.3 \times \boxed{})$
$\rightarrow \boxed{} : \boxed{}$

1-2 $\frac{3}{4} : \frac{2}{3} \rightarrow \left(\frac{3}{4} \times \boxed{}\right) : \left(\frac{2}{3} \times 12\right)$
$\rightarrow \boxed{} : \boxed{}$

[**2**-1 ~ **2**-2] 소수의 비를 간단한 자연수의 비로 나타내세요.

2-1 $0.8 : 0.5 \rightarrow ($ $)$

2-2 $0.9 : 2.2 \rightarrow ($ $)$

[**3**-1 ~ **3**-2] 분수의 비를 간단한 자연수의 비로 나타내세요.

3-1 $\frac{1}{9} : \frac{1}{2} \rightarrow ($ $)$

3-2 $1\frac{1}{4} : \frac{2}{5} \rightarrow ($ $)$

[**4**-1 ~ **4**-2] 간단한 자연수의 비로 나타내세요.

4-1 $16 : 24 \rightarrow ($ $)$

4-2 $27 : 63 \rightarrow ($ $)$

3주
2일

기초 집중 연습

기본 문제 연습

1-1 비의 성질을 이용하여 ☐ 안에 알맞은 수를 써넣으세요.

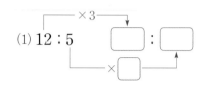

(1) 12 : 5 ☐ : ☐ (× 3, × ☐)

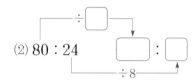

(2) 80 : 24 ☐ : ☐ (÷ ☐, ÷ 8)

1-2 ☐ 안에 알맞은 수를 써넣어 간단한 자연수의 비로 나타내세요.

(1) 0.9 : 0.4 ➡ ☐ : 4

(2) 0.29 : 1.2 ➡ 29 : ☐

(3) $\frac{3}{7}$: $\frac{5}{8}$ ➡ 24 : ☐

2-1 비율이 같은 비를 만들 때 비의 전항과 후항에 곱할 수 없는 수는 어느 것인가요? ······ (   )

① 5   ② 2   ③ 3
④ 8   ⑤ 0

2-2 80 : 40과 비율이 같은 비를 만들려고 합니다. ☐ 안에 들어갈 수 없는 수를 써 보세요.

$$(80 ÷ ☐) : (40 ÷ ☐)$$

(   )

3-1 간단한 자연수의 비로 나타내려고 합니다. ☐ 안에 알맞은 수를 써넣으세요.

0.7 : $\frac{2}{15}$ ➡ $\frac{☐}{10}$: $\frac{2}{15}$ ➡ 21 : ☐

3-2 간단한 자연수의 비로 나타내려고 합니다. ☐ 안에 알맞은 수를 써넣으세요.

$\frac{2}{5}$: 1.9 ➡ ☐ : 1.9 ➡ ☐ : ☐

4-1 가로와 세로의 비가 3 : 2인 직사각형을 찾아 기호를 써 보세요.

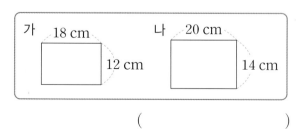

(   )

4-2 밑변의 길이와 높이의 비가 4 : 3인 평행사변형을 찾아 기호를 써 보세요.

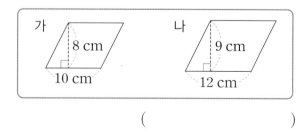

(   )

기초 → 문장제 연습   소수와 분수의 비는 먼저 소수나 분수 중 한 가지로 나타내자.

기초 간단한 자연수의 비로 나타내세요.

$$1.7 : 1\frac{1}{5} \rightarrow \boxed{} : \boxed{}$$

이 비가 어떤 상황에서 이용될까요?

5-1 탄산수 1.7 L와 레몬즙 $1\frac{1}{5}$ L를 넣어 레몬에이드를 만들었습니다. 사용한 탄산수와 레몬즙의 양의 비를 간단한 자연수의 비로 나타내세요.

답 _____

5-2 태형이의 키는 1.6 m이고 동생의 키는 $1\frac{1}{2}$ m입니다. 태형이와 동생의 키의 비를 간단한 자연수의 비로 나타내세요.

답 _____

5-3 고양이와 개의 무게를 간단한 자연수의 비로 나타내세요.

$1\frac{1}{4}$ kg

2.5 kg

고양이   개

답 _____

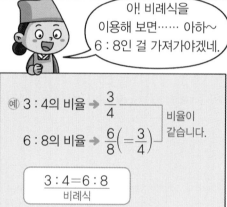

교과서 기초 개념

• 비례식

비례식: **비율이 같은** 두 비를 기호 '='를 **사용**하여 나타낸 식

⟋ 3 : 4의 비율 → $\frac{3}{4}$
비율이 같습니다.
6 : 8의 비율 → $\frac{6}{8}\left(=\frac{❶}{4}\right)$

→ $\underline{3 : 4 = 6 : 8}$
비례식

• 비례식의 외항과 내항

외항
3 : 4 = 6 : 8
❷
❸

비례식 3 : 4 = 6 : 8에서 **바깥쪽**에 있는 3과 8을 **외항**, **안쪽**에 있는 4와 ❷□ 을 내항

이라 합니다.

1-1 외항에 △표, 내항에 ○표 하세요.

(1) $\boxed{3 : 2 = 9 : 6}$

(2) $\boxed{7 : 5 = 28 : 20}$

1-2 비례식에서 외항과 내항을 각각 찾아 써 보세요.

$\boxed{5 : 1 = 10 : 2}$

외항 (,   )

내항 (,   )

2-1 비례식 $2 : 5 = 6 : 15$에서 두 비의 비율을 비교하려고 합니다. ☐ 안에 알맞은 수를 써넣고, 알맞은 말에 ○표 하세요.

$2 : 5$의 비율 ➡ $\dfrac{\boxed{}}{5}$

$6 : 15$의 비율 ➡ $\dfrac{\boxed{}}{15}\left(=\dfrac{\boxed{}}{5}\right)$

➡ 두 비의 비율은 (같습니다 , 다릅니다).

2-2 비례식 $1 : 6 = 3 : 18$에서 두 비의 비율을 비교하려고 합니다. ☐ 안에 알맞은 수를 써넣고, 알맞은 말에 ○표 하세요.

$1 : 6$의 비율 ➡ $\dfrac{1}{\boxed{}}$

$3 : 18$의 비율 ➡ $\dfrac{3}{\boxed{}}\left(=\dfrac{1}{\boxed{}}\right)$

➡ 두 비의 비율은 (같습니다 , 다릅니다).

3-1 비례식이면 ○표, 비례식이 아니면 ×표 하세요.

(1) $\boxed{7 : 4 = 28 : 12}$ (   )

(2) $\boxed{3 : 6 = 1 : 2}$ (   )

3-2 비례식을 찾아 기호를 써 보세요.

$\boxed{\begin{array}{l} ㉠\ 1 : 14 = 4 : 56 \\ ㉡\ 7 + 2 = 5 + 8 \end{array}}$

(   )

[**4-1** ~ **4-2**] 주어진 비와 비율이 같은 비를 찾아 비례식을 세워 보세요.

4-1 $\boxed{16 : 20 \quad 15 : 24}$

$5 : 8 = \boxed{} : \boxed{}$

4-2 $\boxed{12 : 9 \quad 20 : 12}$

$4 : 3 = \boxed{} : \boxed{}$

3주
3일

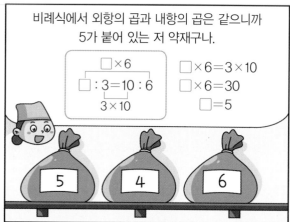

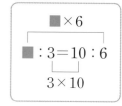

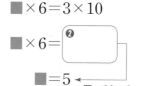

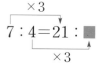

 교과서 기초 개념

• 비례식의 성질

(1) 비례식의 성질

> 비례식에서 **외항의 곱과 내항의 곱은 같습니다.**

예) (외항의 곱) $=3 \times 15 = 45$
$$3 : 5 = 9 : 15$$
같습니다.
(내항의 곱) $=5 \times 9 =$ ❶

> 옳은 비례식인지 확인하려면 외항의 곱과 내항의 곱이 같은지 확인해.

(2) 비례식에서 ■의 값 구하기

예) ■ $: 3 = 10 : 6$ 에서 ■의 값 구하기

$$■ \times 6$$
$$■ : 3 = 10 : 6$$
$$3 \times 10$$

$■ \times 6 = 3 \times 10$
$■ \times 6 = $ ❷
$■ = 5$
$■ = 30 \div 6$

참고 비의 성질을 이용하여 ■의 값 구하기

$$\times 3$$
$$7 : 4 = 21 : ■$$
$$\times 3$$

➡ $4 \times 3 = ■,\ ■ = 12$

정답 ❶ 45   ❷ 30

1-1 비례식을 보고 물음에 답하세요.

$$4 : 5 = 8 : 10$$

(1) ☐ 안에 알맞은 수를 써넣으세요.

외항의 곱: $4 \times \boxed{} = \boxed{}$

내항의 곱: $\boxed{} \times 8 = \boxed{}$

(2) 알맞은 말에 ◯표 하세요.

비례식에서 외항의 곱과 내항의 곱은
(같습니다 , 다릅니다).

1-2 비례식을 보고 물음에 답하세요.

$$18 : 6 = 3 : 1$$

(1) 외항의 곱과 내항의 곱을 각각 구하세요.

외항의 곱 (   )

내항의 곱 (   )

(2) 비례식에서 외항의 곱과 내항의 곱은 같은가요, 다른가요?

(   )

2-1 ☐ 안에 알맞은 수를 써넣고, 옳은 비례식이면 ◯표, 아니면 ×표 하세요.

$2 \times 27 = \boxed{}$

$2 : 9 = 6 : 27 \rightarrow ($ $)$

$9 \times 6 = \boxed{}$

2-2 ☐ 안에 알맞은 수를 써넣고, 옳은 비례식이면 ◯표, 아니면 ×표 하세요.

$$1 : 2 = 4 : 7$$

(외항의 곱)$= 1 \times \boxed{} = \boxed{}$

(내항의 곱)$= 2 \times \boxed{} = \boxed{}$

$\rightarrow ($ $)$

3-1 비례식에서 ■의 값을 구하려고 합니다. ☐ 안에 알맞은 수를 써넣으세요.

$$■ : 40 = 6 : 10$$

$■ \times 10 = 40 \times 6$

$■ \times 10 = \boxed{}$

$■ = \boxed{}$

3-2 비례식에서 ●의 값을 구하려고 합니다. ☐ 안에 알맞은 수를 써넣으세요.

$$9 : ● = 45 : 20$$

$9 \times \boxed{} = ● \times 45$

$● \times 45 = \boxed{}$

$● = \boxed{}$

기초 집중 연습

🐟 **기본 문제 연습**

1-1 비례식을 찾아 ○표 하세요.

$6:7=18:21$ $3\times8=6\times4$

(   )   (   )

1-2 옳은 비례식을 찾아 기호를 써 보세요.

㉠ $11:4=22:2$
㉡ $10:3=50:15$

(   )

2-1 보기 와 같이 두 비율을 보고 비례식을 세우려고 합니다. ☐ 안에 알맞은 수를 써넣으세요.

보기
$$\frac{4}{5}=\frac{20}{25} \rightarrow 4:5=20:25$$

$\frac{3}{8}=\frac{9}{24} \rightarrow 3:8=$ ☐ : ☐

2-2 보기 와 같이 두 비율을 보고 비례식을 세워 보세요.

보기
$$\frac{2}{7}=\frac{8}{28} \rightarrow 2:7=8:28$$

$\frac{20}{36}=\frac{5}{9} \rightarrow$ (   )

3-1 비례식에서 후항이면서 내항인 수를 찾아 써 보세요.

$9:11=27:33$

(   )

3-2 태연이가 말한 비례식에서 전항이면서 외항인 수를 찾아 써 보세요.

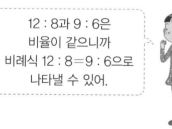

12 : 8과 9 : 6은 비율이 같으니까 비례식 12 : 8=9 : 6으로 나타낼 수 있어.

태연

(   )

▶정답 및 풀이 21쪽

기초 → 기본 연습 □ 안의 수는 외항의 곱과 내항의 곱이 같음을 이용하여 구하자.

기초 □ 안에 알맞은 수를 써넣으세요.

(1) 4 : 9 = □ : 81

(2) 8 : 5 = 64 : □

외항의 곱과 내항의 곱을 구해 볼까요?

4-1 □ 안에 알맞은 수가 40인 비례식을 말한 사람의 이름을 써 보세요.

4 : 9 = □ : 81

8 : 5 = 64 : □

민호

수현

답 _____

4-2 □ 안에 알맞은 수가 3인 비례식을 말한 사람의 이름을 써 보세요.

0.9 : 1.2 = □ : 4

$\frac{2}{5} : \frac{3}{7} = 14 : □$

준희

우석

답 _____

4-3 비례식에서 ㉮와 ㉯의 곱이 108일 때, □ 안에 알맞은 수를 구하세요.

㉮ : 6 = □ : ㉯

답 _____

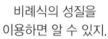

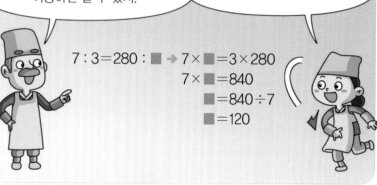

🐼 **교과서 기초 개념**

• 비례식의 성질을 이용하여 문제 해결하기

예) 쌀과 콩을 7 : 3으로 섞어서 밥을 지으려고 합니다. 쌀을 280 g 넣으면 콩은 몇 g 넣어야 하나요?

(1) 구하려고 하는 것 ➡ 넣어야 할 콩의 양

(2) 쌀을 280 g 넣을 때 넣어야 할 콩의 양을 ■ g이라 하고 비례식 세우기

➡ $7 : 3 = $ [**❶**] $: ■$

(3) 비례식의 성질을 이용하여 ■의 값 구하기

$$7 : 3 = 280 : ■ \rightarrow 7 \times ■ = 3 \times 280$$
$$7 \times ■ = 840 \;\;—\!\!\!|\;\; ■ = 840 \div 7$$
$$■ = 120 \;—\!\!|$$

> (외항의 곱)=(내항의 곱)

➡ 콩은 [**❷**] g 넣어야 합니다.

1-1 물과 설탕을 5 : 2로 섞어서 설탕물을 만들려고 합니다. 물을 25컵 부으면 설탕은 몇 컵 필요한지 구하려고 합니다. 물음에 답하세요.

(1) 필요한 설탕의 양을 ▲컵이라 하고 비례식을 세워 보세요.

$$5 : 2 = \boxed{} : ▲$$

(2) 비례식의 성질을 이용하여 ▲의 값을 구하세요.

$$5 × ▲ = 2 × \boxed{}$$
$$5 × ▲ = \boxed{}$$
$$▲ = \boxed{}$$

(3) 설탕은 몇 컵 필요한가요?

(   )

1-2 밀가루와 메밀가루를 9 : 2로 섞어서 반죽을 하려고 합니다. 밀가루를 540 g 넣을 때 메밀가루는 몇 g 필요한지 구하려고 합니다. 물음에 답하세요.

(1) 필요한 메밀가루의 양을 ●g이라 하고 비례식을 세워 보세요.

$$9 : 2 = \boxed{} : ●$$

(2) 비례식의 성질을 이용하여 ●의 값을 구하세요.

$$9 × ● = 2 × \boxed{}$$
$$9 × ● = \boxed{}$$
$$● = \boxed{}$$

(3) 메밀가루는 몇 g 필요한가요?

(   )

3주 4일

2-1 성주와 은호는 종이학을 5 : 8로 가지고 있습니다. 성주가 종이학을 35개 가지고 있다면 은호가 가진 종이학은 몇 개인지 구하려고 합니다. 물음에 답하세요.

(1) 은호가 가진 종이학의 수를 ☐개라 하고 비례식을 바르게 세운 것에 ○표 하세요.

$$5 : 8 = \boxed{} : 35 \qquad 5 : 8 = 35 : \boxed{}$$

(2) 은호가 가진 종이학은 몇 개인가요?

(   )

2-2 전기를 20분 동안 충전하면 70 km를 달리는 전기 자동차가 있습니다. 280 km를 달리려면 전기를 몇 분 동안 충전해야 하는지 구하려고 합니다. 물음에 답하세요.

(1) 필요한 충전 시간을 ☐분이라 하고 비례식을 바르게 세운 것에 ○표 하세요.

$$20 : 70 = \boxed{} : 280 \qquad ( )$$

$$20 : 70 = 280 : \boxed{} \qquad ( )$$

(2) 필요한 충전 시간은 몇 분인가요?

(   )

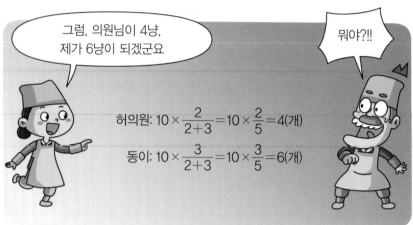

 교과서 기초 개념

• 비례배분

비례배분: **전체**를 주어진 **비로 배분**하는 것

전체를 가 : 나=■ : ▲로 나누기

가: (전체) $\times \dfrac{■}{■+▲}$ **나:** (전체) $\times \dfrac{▲}{■+▲}$

예) 승연이와 성주가 구슬 10개를 2 : 3으로 나누기

승연: $10 \times \dfrac{2}{2+3} = 10 \times \dfrac{2}{5} = \boxed{①}$ (개), 성주: $10 \times \dfrac{3}{2+3} = 10 \times \dfrac{\boxed{②}}{5} = \boxed{③}$ (개)

비례배분한 수를 더하면 전체와 같아.

정답 ① 4 　② 3 　③ 6

1-1 40을 1 : 4로 나누려고 합니다. 그림을 보고 □ 안에 알맞은 수를 써넣으세요.

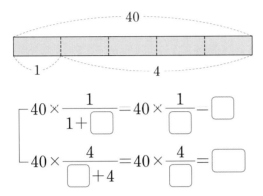

$$40 \times \dfrac{1}{1+\boxed{}} = 40 \times \dfrac{1}{\boxed{}} = \boxed{}$$

$$40 \times \dfrac{4}{\boxed{}+4} = 40 \times \dfrac{4}{\boxed{}} = \boxed{}$$

1-2 80을 5 : 3으로 나누려고 합니다. 그림을 보고 □ 안에 알맞은 수를 써넣으세요.

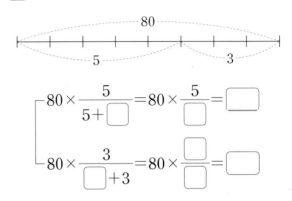

$$80 \times \dfrac{5}{5+\boxed{}} = 80 \times \dfrac{5}{\boxed{}} = \boxed{}$$

$$80 \times \dfrac{3}{\boxed{}+3} = 80 \times \dfrac{\boxed{}}{\boxed{}} = \boxed{}$$

2-1 비례배분하려고 합니다. □ 안에 알맞은 수를 써넣으세요.

> 42를 3 : 4로 나누기

$$42 \times \dfrac{3}{\boxed{}} = \boxed{}$$

$$42 \times \dfrac{\boxed{}}{\boxed{}} = \boxed{}$$

2-2 민호가 말한대로 비례배분하려고 합니다. □ 안에 알맞은 수를 써넣으세요.

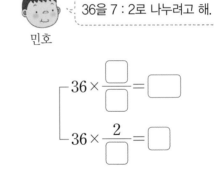

민호

> 36을 7 : 2로 나누려고 해.

$$36 \times \dfrac{\boxed{}}{\boxed{}} = \boxed{}$$

$$36 \times \dfrac{2}{\boxed{}} = \boxed{}$$

3-1 주어진 수를 4 : 1로 나누어 보세요.

> 35

(,)

3-2 □ 안의 수를 주어진 비로 나누어 보세요.

(1) 15   2 : 3 ➡ (,)

(2) 54   4 : 5 ➡ (,)

🐰 **기본 문제** 연습

1-1 주어진 수를 8 : 5로 나누어 보세요.

$$52$$

(,   )

1-2 24를 주어진 비로 나누어 보세요.

(1) 2 : 1 ➡ (,   )

(2) 3 : 5 ➡ (,   )

2-1 직사각형의 가로와 세로의 비는 3 : 2입니다. 이 직사각형의 세로는 몇 cm인지 구하려고 합니다. 물음에 답하세요.

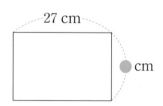

27 cm

● cm

(1) 세로를 ● cm라 하여 비례식을 세우고, ☐ 안에 알맞은 수를 써넣으세요.

$$3 : 2 = \boxed{} : ●$$

$$3 × ● = 2 × \boxed{} , \quad 3 × ● = 54, \quad ● = \boxed{}$$

(2) 직사각형의 세로는 몇 cm인가요?

(   )

2-2 오른쪽 직사각형 모양 동화책의 가로와 세로의 비는 5 : 7입니다. 가로를 ▲ cm라 하여 비례식을 세우고, 비례식의 성질을 이용하여 가로는 몇 cm인지 구하세요.

▲ cm
동화책
21 cm

$$5 : 7 = ▲ : \boxed{}$$

$$5 × \boxed{} = 7 × ▲$$

$$7 × ▲ = \boxed{}$$

$$▲ = \boxed{}$$

➡ 가로는 ☐ cm입니다.

3-1 운동장에 학생이 180명 있습니다. 남학생 수와 여학생 수의 비가 5 : 4일 때 여학생은 몇 명인가요?

$$180 × \frac{\boxed{}}{5 + \boxed{}} = \boxed{} (명)$$

3-2 9000원을 성재와 동생에게 2 : 1로 나누어 줄 때 성재가 받게 되는 돈은 얼마인지 구하세요.

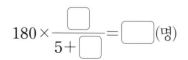

성재가 받게 되는 돈은 전체의 $\dfrac{\boxed{}}{2 + 1}$ 이므로

$$9000 × \frac{\boxed{}}{3} = \boxed{} (원)입니다.$$

연산 → 문장제 연습 구하려는 것이 전체의 몇 분의 몇인지 먼저 알아보자.

81을 4 : 5로 나누어 보세요.

$$81 \times \dfrac{4}{\boxed{}} = \boxed{}$$

$$81 \times \dfrac{5}{\boxed{}} = \boxed{}$$

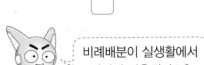

비례배분이 실생활에서 어떻게 이용될까요?

4-1 철사 81 cm를 태형이와 석진이가 4 : 5로 나누어 가졌습니다. 두 사람이 가진 철사는 각각 몇 cm인가요?

답 태형: _____

석진: _____

4-2 구슬 24개를 지원이와 윤기가 7 : 5로 나누어 가졌습니다. 두 사람이 가진 구슬은 각각 몇 개인가요?

답 지원: _____, 윤기: _____

4-3 가로가 60 cm, 세로가 40 cm인 직사각형 모양의 포장지를 넓이의 비가 5 : 1이 되도록 잘랐습니다. 자른 것 중 더 넓은 포장지의 넓이는 몇 cm²인지 구하세요.

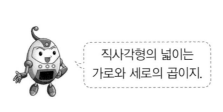

직사각형의 넓이는 가로와 세로의 곱이지.

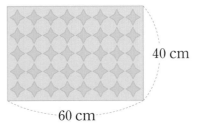

40 cm

60 cm

답 _____

3주
4일

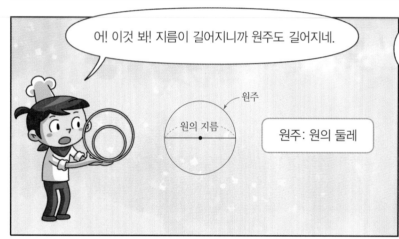

교과서 기초 개념

• 원주

> 원주: 원의 둘레

➜ 원의 지름이 길어지면 **①** ⬚ 도 길어집니다.

원의 지름은 원 위의 두 점을 이은 선분 중에서
가장 긴 선분의 길이를 재면 알 수 있어.

• 원주와 원의 지름의 관계

➜ (원의 **지름**) × **3** < (원주)
(원주) < (원의 **지름**) × **4**

원주는 원의 지름의 3배보다 길고,
원의 지름의 4배보다 짧습니다.

1-1 ☐ 안에 알맞은 말을 써넣으세요.

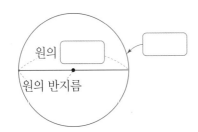

원의 ☐ ← ☐

원의 반지름

1-2 오른쪽 원을 보고 ☐ 안에 알맞은 기호를 찾아 써넣으세요.

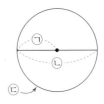

원의 지름은 ☐이고 원주는 ☐입니다.

2-1 원주가 더 긴 것에 ○표 하세요.

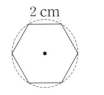 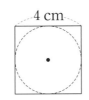

(   )   (   )

2-2 원주가 더 짧은 것의 기호를 써 보세요.

가   나

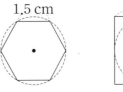

(   )

3-1 한 변의 길이가 2 cm인 정육각형, 지름이 4 cm인 원, 한 변의 길이가 4 cm인 정사각형을 보고 물음에 답하세요.

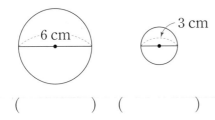

(1) 정육각형과 원의 지름의 관계를 나타내세요.

(원의 지름)=☐ cm

(정육각형의 둘레)=☐ cm

➡ (정육각형의 둘레)=(원의 지름)×☐

(2) 정사각형과 원의 지름의 관계를 나타내세요.

(원의 지름)=☐ cm

(정사각형의 둘레)=☐ cm

➡ (정사각형의 둘레)=(원의 지름)×☐

(3) 원주와 원의 지름의 관계를 나타내세요.

(원의 지름)×☐<(원주)

(원주)<(원의 지름)×☐

3-2 한 변의 길이가 1.5 cm인 정육각형, 지름이 3 cm인 원, 한 변의 길이가 3 cm인 정사각형을 보고 물음에 답하세요.

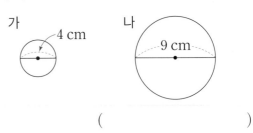

(1) 두 도형의 둘레를 각각 수직선에 표시해 보세요.

정육각형의 둘레

원의 지름

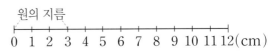

정사각형의 둘레

원의 지름

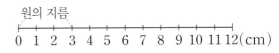

(2) 원주와 원의 지름의 관계를 나타내세요.

원주는 원의 지름의 ☐배보다 길고, 원의 지름의 ☐배보다 짧습니다.

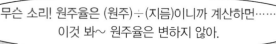

 교과서 기초 개념

- **원주율**

(1) **원주율**: 원의 지름에 대한 원주의 비율

$$(원주율) = (원주) ÷ (지름)$$

(2) 원주율 구하기

 2 cm   4 cm

원주율을 소수로 나타내면 3.1415926535897932……와 같이 끝없이 계속되는 데 필요에 따라 **3, 3.1, 3.14** 등으로 어림하여 사용하기도 해.

원주 (cm)	지름 (cm)	(원주)÷(지름)을 반올림하여 소수 첫째 자리까지	(원주)÷(지름)을 반올림하여 소수 둘째 자리까지
6.28	2	❶	3.14
12.57	4	3.1	3.14

➡ 원의 크기와 상관없이 (원주)÷(지름)의 값은 일정합니다.

정답 ❶ 3.1

1-1 ☐ 안에 알맞은 말을 써넣으세요.

> 원의 지름에 대한 원주의 비율을
> ☐(이)라고 합니다.

1-2 ☐ 안에 알맞은 말을 써넣으세요.

> (원주율)=(☐)÷(지름)

[2-1 ~ 2-2] 원주율을 소수로 나타내었더니 다음과 같았습니다. 물음에 답하세요.

> (원주)÷(지름)=3.1415926535……

2-1 원주율을 반올림하여 소수 둘째 자리까지 나타내세요.

(   )

2-2 원주율을 반올림하여 소수 다섯째 자리까지 나타내세요.

(   )

3주
5일

3-1 원주율을 구하려고 합니다. ☐ 안에 알맞은 수를 써넣으세요.

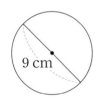

원주: 28.26 cm

(원주율)=(원주)÷(지름)

= ☐ ÷ ☐ = ☐

3-2 원주율을 구하려고 합니다. ☐ 안에 알맞은 수를 써넣으세요.

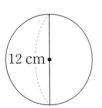

원주: 37.2 cm

(원주율)=(원주)÷(지름)

= ☐ ÷ ☐ = ☐

4-1 지름과 원주가 다음과 같을 때 원주율을 구하세요.

원주: 9.42 cm

(   )

4-2 지름과 원주가 다음과 같을 때 원주율을 구하세요.

원주: 24 cm

(   )

기초 집중 연습

1-1 원주와 지름이 다음과 같을 때 원주율을 구하세요.

> 원주: 39 cm, 지름: 13 cm

( )

1-2 원주와 지름이 다음과 같을 때 원주율을 구하세요.

> 원주: 21.98 cm, 지름: 7 cm

( )

[2-1 ~ 2-2] 반지름과 원주가 다음과 같을 때 원주율을 구하세요.

2-1

> 원주: 31 cm

( )

2-2
> 원주: 48 cm

( )

3-1 설명이 맞으면 ○표, 틀리면 ×표 하세요.

> 원의 지름이 길어져도 원주는 변하지 않습니다. ○

> 원주는 지름보다 더 깁니다. ○

> 원주와 지름의 길이는 같습니다. ○

3-2 설명이 맞으면 ○표, 틀리면 ×표 하세요.

(1) 원주는 지름의 약 3배입니다. ( )

(2) 원이 커지면 원주율도 커집니다. ( )

(3) 원의 지름에 대한 원주의 비율은 항상 일정합니다. ( )

4-1 지름이 2 cm인 원 조각을 자 위에서 한 바퀴 굴렸습니다. 원주가 얼마쯤 될지 자에 ↓로 표시해 보세요.

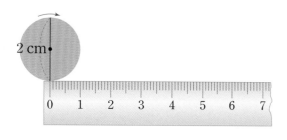

4-2 지름이 3 cm인 원의 원주와 가장 비슷한 길이를 찾아 기호를 써 보세요.

가 ├──┼──┤ 1 cm

나 ├──┼──┼──┼──┤

다 ├──┼──┼──┼──┼──┼──┤

( )

기초 → 기본 연습 원주율은 (원주)÷(지름)으로 구하자.

 지름과 원주가 다음과 같을 때 원주율을 반올림하여 일의 자리까지 나타내세요.

> 지름: 24 cm
> 원주: 75.4 cm

답 _____

5-1 원 모양의 거울이 있습니다. 거울의 지름과 원주를 보고 원주율을 반올림하여 일의 자리까지 나타내세요.

> 지름: 24 cm
> 원주: 75.4 cm

답 _____

5-2 원 모양의 접시의 원주와 지름을 잰 것입니다. 원주율을 반올림하여 주어진 자리까지 나타내세요.

> 원주: 44 cm, 지름: 14 cm

소수 첫째 자리까지	
소수 둘째 자리까지	

5-3 크기가 다른 원 모양의 통조림 통 가와 나가 있습니다. 원주율을 비교하여 ◯ 안에 >, =, <를 알맞게 써넣으세요.

가   나

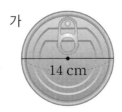

14 cm   8 cm

원주: 43.96 cm   원주: 25.12 cm

(가의 원주율) ◯ (나의 원주율)

3주
5일

1 비례식을 찾아 ○표 하세요.

| $2:7=8:28$ | $3\times4=6\times2$ |

(   )   (   )

2 ☐ 안에 알맞은 수를 써넣으세요.

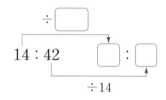

3 3 : 11과 비율이 같은 비를 만들려고 합니다. ☐ 안에 공통으로 들어갈 수 없는 수는 어느 것인가요? ·····( )

$3:11 \Rightarrow (3\times \boxed{}) : (11\times \boxed{})$

① 210   ② 84   ③ 42

④ 1   ⑤ 0

4 바르게 설명한 사람은 누구인가요?

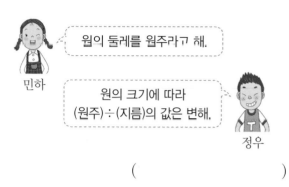

원의 둘레를 원주라고 해.

민하

원의 크기에 따라 (원주)÷(지름)의 값은 변해.

정우

(   )

5 쌓기나무로 쌓은 모양을 층별로 나타낸 모양입니다. 쌓기나무로 쌓은 모양에 ○표 하세요.

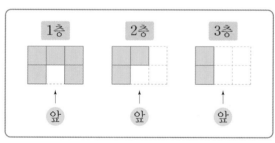

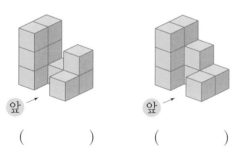

(   )   (   )

6 지름과 원주가 다음과 같을 때 원주율을 반올림하여 소수 둘째 자리까지 나타내세요.

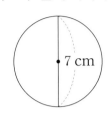

7 cm   원주: 21.99 cm

(   )

7 보기 의 모양에 쌓기나무 1개를 더 붙여서 만들 수 있는 모양이 아닌 것을 찾아 기호를 써 보세요.

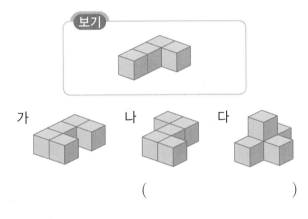

보기

가   나   다

(   )

8 간단한 자연수의 비로 나타내세요.

$$7.5 : \frac{1}{2}$$

(   )

9 어느 가게에서 감자 8 kg을 사려면 얼마를 내야 하는지 알아보기 위해 감자 8 kg의 값을 ■원이라 하여 비례식을 세웠습니다. ☐ 안에 알맞은 수를 써넣고 얼마를 내야 하는지 구하세요.

 우리 가게에서는 3 kg을 9600원에 판매하고 있어.

$3 : 9600 = \boxed{} : ■$

(   )

10 성주와 승연이가 구슬 91개를 8 : 5로 나누어 가지려고 합니다. 성주와 승연이는 구슬을 각각 몇 개씩 가지게 되는지 구하세요.

성주 (   )

승연 (   )

만들어야 할 모양은?

 가수 지망생 천옥, 은비, 실비가 지미 유에게 테스트를 받으려고 합니다. 지미 유의 테스트는 상자 안의 쌓기나무로 만든 모양과 똑같은 모양을 만드는 것입니다. 세 사람이 만들어야 할 모양을 찾아 보세요

 가~라 중 세 사람이 만들어야 할 모양은 어느 것일까?

가   나   다   라

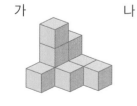 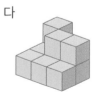 

 답 _____

문의 비밀번호는?

어느 괴짜 박사님을 취재하려고 기자와 카메라 맨이 찾아갔습니다. 이 괴짜 박사님은 자신을 만나려면 문의 비밀번호를 누르고 들어오라고 합니다. 이 문의 비밀번호를 구해 보세요.

□ 안에 알맞은 수가 비밀번호입니다. 아래의 순서대로 비밀번호를 누르시요~

① 2 : 3 = □ : 6
② 7 : 4 = 14 : □
③ □ : 18 = 4 : 9

문의 비밀번호를 빈칸에 차례로 써넣어봐.

①	②	③

코딩 **3** 비례식인지 아닌지 판별하는 순서도입니다. 수현이가 말한 비례식을 입력했을 때 나오는 결과는 ○인지 ×인지 알아보세요.

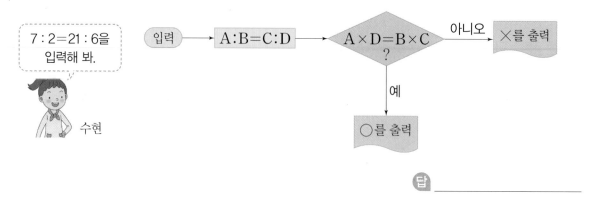

답 _____

창의 **4** 정우네 가족은 외발자전거 마라톤 대회에 참가하려고 합니다. 정우네 가족이 타는 자전거 바퀴의 지름과 원주를 보고 원주율에 대해 알아보세요.

아빠, 엄마, 정우가 타는 자전거 바퀴의 원주율은 ☐(으)로 모두 (같습니다 , 다릅니다).

코딩 5 왼쪽 쌓기나무로 쌓은 모양을 보고 2층 모양을 그리는 명령을 기호로 나타내세요.

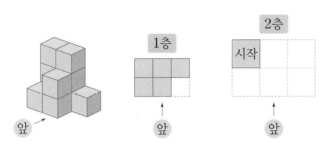

기호	명령 내용
➡	오른쪽으로 1칸 이동
⬅	왼쪽으로 1칸 이동
⬆	위쪽으로 1칸 이동
⬇	아래쪽으로 1칸 이동
⊗	현재 칸에 색칠하기

명령 _____

3주

특강

융합 6 지구에서의 몸무게가 75 kg인 사람이 달에서 몸무게를 재면 12.5 kg이 됩니다. 이 사람의 지구에서의 몸무게와 달에서의 몸무게의 비를 간단한 자연수의 비로 나타내세요.

여기 지구에서 재면 75 kg인 사람이

달에서 재면 12.5 kg이 돼.

 답 _____

융합 7 피라미드는 고대 이집트의 왕과 왕비, 왕족 무덤의 한 형식으로 이집트인은 메르라 불렀습니다. 현재 80여 개 정도가 알려져 있으며, 대부분은 이집트의 카이로 서쪽 사막 주변에 흩어져 있다고 합니다. 다음 피라미드를 보고 쌓기나무로 똑같은 모양을 만들었습니다. 이 모양을 층별로 나타낸 모양을 보고 위, 앞, 옆 중 어느 방향에서도 보이지 않는 쌓기나무는 모두 몇 개인지 구하세요.

©Akugasahagy / shutterstock

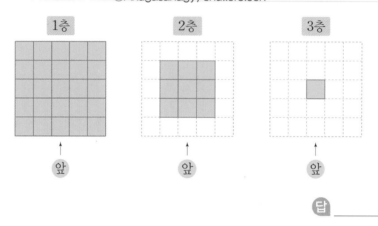

답 _____

융합 8 1년 중 밤이 가장 길고, 낮이 가장 짧은 날인 동짓날에는 나쁜 것을 쫓아낸다는 의미로 팥죽을 끓여 먹습니다. 어느 해 동짓날의 밤의 길이가 14시간이었습니다. 이 날의 낮과 밤의 길이의 비를 간단한 자연수의 비로 나타내세요.

답 _____

▶ 정답 및 풀이 25쪽

 과학 시간에 분리 실험을 하기 위해 설탕과 모래를 $\dfrac{3}{4} : \dfrac{3}{5}$의 무게의 비로 섞었습니다. 섞은 설탕과 모래의 전체 무게가 180 g이라면 설탕의 무게는 몇 g인가요?

설탕

모래

 로봇을 이용해 빵과 쿠키를 만들려고 합니다. 로봇은 다음 명령을 모두 실행하는 데 밀가루 390 g을 사용합니다. 쿠키를 만드는 데 사용되는 밀가루의 양은 몇 g인가요?

빵과 쿠키의 수로
비례배분하면
사용되는 밀가루의 양을
구할 수 있어.

▶ 시작하기 버튼을 클릭했을 때

8 번 반복하기
빵 1개 만들기

5 번 반복하기
쿠키 1개 만들기

원의 넓이 /
원기둥, 원뿔, 구

우와 이 도자기들은 직접 만드신 건가요?

탁

나이스 캐치!

파앗

후후~ 그렇단다.

전 원기둥 모양의 컵을 만들려고요.

그럼 난 원뿔 모양의 컵을 만들어야지~

으앙~ 생각처럼 안 되잖아!

처음엔 다 그렇단다.

크크, 그게 뭐냐? 앗!

푹

크크~ 날 놀리더니 쌤통이닷!

으아~

4주에는 무엇을 공부할까? ①

3-2 원

원의 중심이 되는 점 ㅇ을 정해.

컴퍼스를 원의 반지름인 1 cm만큼 벌려.

컴퍼스의 침을 점 ㅇ에 꽂고 원을 그려.

한 원에서 반지름은 모두 같이.

한 원에서 반지름은 셀 수 없이 많다는 것도 알아둬.

[**1**-1 ~ **1**-2] 점 ㅇ은 원의 중심입니다. 원의 지름과 반지름을 각각 구하세요.

1-1

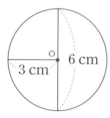

3 cm 6 cm

┌ 원의 지름: ☐ cm
└ 원의 반지름: ☐ cm

1-2

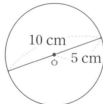

10 cm 5 cm

┌ 원의 지름: ☐ cm
└ 원의 반지름: ☐ cm

[**2**-1 ~ **2**-2] 점 ㅇ은 원의 중심입니다. ☐ 안에 알맞은 수를 써넣으세요.

2-1

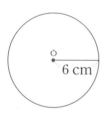

6 cm

(원의 지름)

$= ☐ \times 2 = ☐$ (cm)

2-2

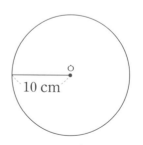

10 cm

(원의 지름)

$= ☐ \times 2 = ☐$ (cm)

6-1 각기둥과 각뿔

각기둥은 서로 평행한 두 면이 합동인 다각형으로 이루어진 입체도형이야.

각뿔은 밑에 놓인 면이 다각형이고 옆으로 둘러싼 면이 모두 삼각형인 입체도형이야.

4주 1일

3-1 밑면의 모양이 다음과 같은 각기둥의 이름을 써 보세요.

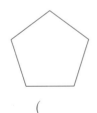

(   )

3-2 밑면의 모양이 다음과 같은 각뿔의 이름을 써 보세요.

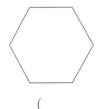

(   )

4-1 각기둥의 특징을 잘못 말한 사람은 누구인가요?

각기둥의 옆면의 모양은 모두 직사각형이야.

각기둥의 밑면과 옆면은 서로 평행해.

 수현

 우석

(   )

4-2 각뿔의 특징을 잘못 말한 사람은 누구인가요?

각뿔의 밑면은 다각형이야.

각뿔의 옆면은 밑면에 수직이야.

 민호

 태연

(   )

 교과서 기초 개념

例 **지름이 9 cm인 원의 원주 구하기**

(원주율: 3.1)

9 cm

(원주)=(지름)×(원주율)

= **❶** ×3.1

=27.9 (cm)

例 **원주가 12.56 cm인 원의 지름 구하기**

(원주율: 3.14)

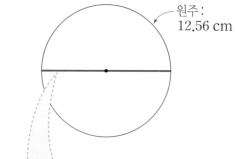

원주 : 12.56 cm

(지름)=(원주)÷(원주율)

=12.56÷3.14

= **❷** (cm)

 정답 ❶ 9 ❷ 4

[**1**-1 ~ **1**-4] 지름과 원주율을 이용하여 원주는 몇 cm인지 구하세요.

1-1
12 cm　　원주율: 3

(　　　　　)

1-2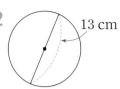
13 cm　　원주율: 3.1

(　　　　　)

1-3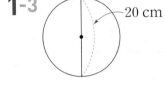
20 cm　　원주율: 3.1

(　　　　　)

1-4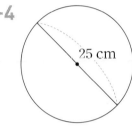
25 cm　　원주율: 3.14

(　　　　　)

[**2**-1 ~ **2**-4] 원주와 원주율을 이용하여 지름은 몇 cm인지 구하세요.

2-1
원주: 33 cm
원주율: 3

(　　　　　)

2-2
원주: 15.7 cm
원주율: 3.14

(　　　　　)

2-3
원주: 46.5 cm
원주율: 3.1

(　　　　　)

2-4
원주: 94.2 cm
원주율: 3.14

(　　　　　)

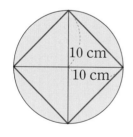

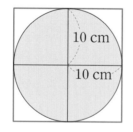

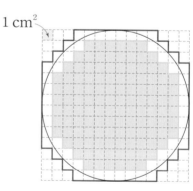

교과서 기초 개념

• 원 안과 밖의 정사각형으로 원의 넓이 어림하기

(원 안에 있는 정사각형의 넓이)=**200** cm²
(원 **밖**에 있는 정사각형의 넓이)=**400** cm²

200 cm² < (원의 넓이) < **400** cm²

원의 넓이는 원 안에 있는 정사각형의 넓이보다 넓고, 원 밖에 있는 정사각형의 넓이보다 좁아.

• 모눈종이를 이용하여 원의 넓이 어림하기

1 cm²

→ 모눈 120칸
(노란색 모눈의 넓이)=**120** cm²
→ 모눈 172칸
(빨간색 선 안쪽 모눈의 넓이)=**172** cm²

120 cm² < (원의 넓이) < **172** cm²

[**1-1 ~ 1-2**] 원 안의 정사각형의 넓이와 원 밖의 정사각형의 넓이를 이용하여 원의 넓이를 어림해 보려고 합니다. 물음에 답하세요.

1-1

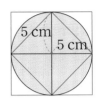

(1) 원 안의 정사각형의 넓이는 몇 cm²인가요?

(   )

(2) 원 밖의 정사각형의 넓이는 몇 cm²인가요?

(   )

(3) ☐ 안에 알맞은 수를 써넣으세요.

  ☐ cm²＜(원의 넓이)

    (원의 넓이)＜☐ cm²

1-2

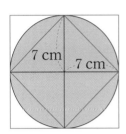

(1) 원 안의 정사각형의 넓이는 몇 cm²인가요?

(   )

(2) 원 밖의 정사각형의 넓이는 몇 cm²인가요?

(   )

(3) ☐ 안에 알맞은 수를 써넣으세요.

  ☐ cm²＜(원의 넓이)

    (원의 넓이)＜☐ cm²

4주

1일

2-1 반지름이 5 cm인 원의 넓이를 어림하려고 합니다. ☐ 안에 알맞은 수를 써넣으세요.

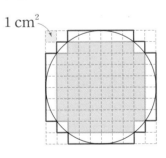

┌ (보라색 모눈)＝60칸 ➡ ☐ cm²

└ (빨간색 선 안쪽 모눈)＝88칸 ➡ ☐ cm²

☐ cm²＜(원의 넓이)

(원의 넓이)＜☐ cm²

2-2 반지름이 6 cm인 원의 넓이를 어림하려고 합니다. ☐ 안에 알맞은 수를 써넣으세요.

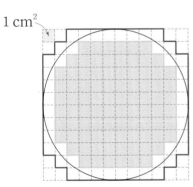

┌ (연두색 모눈)＝88칸 ➡ ☐ cm²

└ (빨간색 선 안쪽 모눈)＝132칸 ➡ ☐ cm²

☐ cm²＜(원의 넓이)

(원의 넓이)＜☐ cm²

기초 집중 연습

🐸 **기본 문제 연습**

1-1 오른쪽 원의 원주는 몇 cm인 가요? (원주율: 3.1)

(   )

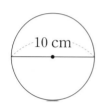
10 cm

1-2 오른쪽 원의 원주는 몇 cm인 가요? (원주율: 3)

(   )

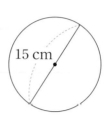
15 cm

2-1 오른쪽은 원주가 28.26 cm 인 통조림통의 윗면입니다. 이 통조림통의 윗면의 지름은 몇 cm인가요? (원주율: 3.14)

(   )

2-2 오른쪽은 원주가 75 cm인 바퀴입니다. 이 바퀴의 지름은 몇 cm인가요? (원주율: 3)

(   )

3-1 원 안과 밖의 정사각형의 넓이를 이용하여 반지름이 9 cm인 원의 넓이를 어림하려고 합니다. ☐ 안에 알맞은 수를 써넣으세요.

9 cm   9 cm

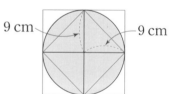

☐ cm² < (원의 넓이)

(원의 넓이) < ☐ cm²

3-2 노란색 모눈의 수와 빨간색 선 안쪽 모눈의 수를 이용하여 지름이 8 cm인 원의 넓이를 어림하려고 합니다. ☐ 안에 알맞은 수를 써넣으세요.

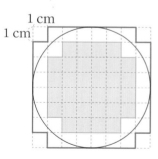
1 cm
1 cm

☐ cm² < (원의 넓이)

(원의 넓이) < ☐ cm²

기초 → 문장제 연습　(원이 한 바퀴 굴러간 거리)=(원주)

기초 지름이 1 cm인 단추를 자 위에서 한 바퀴 굴렸습니다. 원주율이 3일 때, 원주를 자에 표시해 보세요.

4-1 지름이 12 cm인 CD를 한 바퀴 굴렸을 때 CD가 굴러간 거리는 몇 cm인가요? (원주율: 3.14)

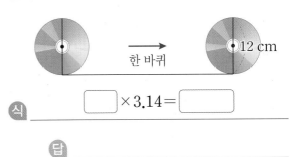

식 [　] × 3.14 = [　]

답 _____

4-2 바깥쪽 지름이 50 cm인 훌라후프를 한 바퀴 굴렸을 때 훌라후프가 굴러간 거리는 몇 cm인가요? (원주율: 3.1)

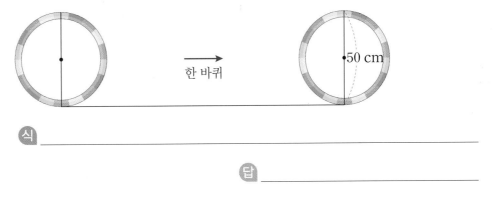

식 _____

답 _____

4-3 오른쪽과 같은 원 모양의 굴렁쇠를 4바퀴 굴렸을 때 굴렁쇠가 굴러간 거리는 몇 cm인가요? (원주율: 3)

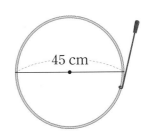

답 _____

피자는 원 모양이니까 원의 넓이 구하는 방법을 이용하면 되겠군요.(원주율: 3)

(피자의 넓이)
=(원의 넓이)
=(반지름)×(반지름)×(원주율)
=10×10×3
=300 (cm²)

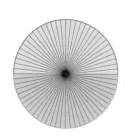

교과서 기초 개념

• 원의 넓이를 구하는 방법 알아보기

$$(원주) \times \frac{1}{2}$$

원의 반지름

↳ (원의 넓이)=(직사각형의 넓이)

$$(원의\ 넓이) = (원주) \times \frac{1}{2} \times (반지름)$$

$$= (원주율) \times (지름) \times \frac{1}{2} \times (반지름)$$

$$= (반지름) \times (\boxed{①}\ ) \times (원주율)$$

정답 ❶ 반지름

1-1 반지름이 3 cm인 원을 한없이 잘라 이어 붙여서 점점 직사각형에 가까워지는 도형으로 바꿔 보았습니다. ☐ 안에 알맞은 수를 써넣으세요.

(원주율: 3.14)

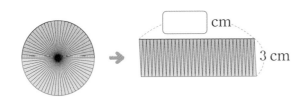

1-2 반지름이 5 cm인 원을 한없이 잘라 이어 붙여서 점점 직사각형에 가까워지는 도형으로 바꿔 보았습니다. ☐ 안에 알맞은 수를 써넣으세요.

(원주율: 3.1)

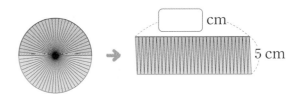

[**2-1** ~ **2-6**] 원의 넓이를 구하려고 합니다. ☐ 안에 알맞은 수를 써넣으세요.

2-1

10 cm　원주율: 3.14

(원의 넓이) = ☐ × ☐ × 3.14
　　　　　 = ☐ (cm²)

2-2

15 cm　원주율: 3.1

(원의 넓이) = ☐ × ☐ × 3.1
　　　　　 = ☐ (cm²)

2-3

8 cm　원주율: 3.1

(원의 넓이) = ☐ × ☐ × 3.1
　　　　　 = ☐ (cm²)

2-4

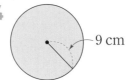

9 cm　원주율: 3.14

(원의 넓이) = ☐ × ☐ × 3.14
　　　　　 = ☐ (cm²)

2-5

14 cm　원주율: 3

(원의 넓이) = ☐ × ☐ × 3
　　　　　 = ☐ (cm²)

2-6

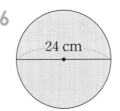

24 cm　원주율: 3.1

(원의 넓이) = ☐ × ☐ × ☐
　　　　　 = ☐ (cm²)

4주
2일

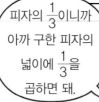

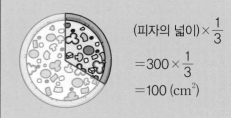

교과서 기초 개념

예) 빨간색 부분의 넓이 구하기 (원주율: 3.14)

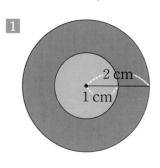
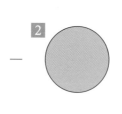
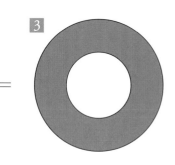

$$(\boxed{1}\text{의 넓이}) = 2 \times \boxed{\textbf{①}\ \ } \times 3.14 = 12.56\ (\text{cm}^2)$$

$$(\boxed{2}\text{의 넓이}) = 1 \times \boxed{\textbf{②}\ \ } \times 3.14 = 3.14\ (\text{cm}^2)$$

$$(\boxed{3}\text{의 넓이}) = (\boxed{1}\text{의 넓이}) - (\boxed{2}\text{의 넓이}) = 12.56 - 3.14 = \boxed{\textbf{③}\qquad}\ (\text{cm}^2)$$

정답 ❶ 2   ❷ 1   ❸ 9.42

개념·원리 확인

▶ 정답 및 풀이 27쪽

[1-1 ~ 1-2] 색칠한 부분의 넓이를 구하려고 합니다. 물음에 답하세요.

1-1

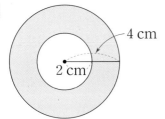

원주율: 3.14

(1) 큰 원의 넓이는 몇 cm²인가요?

(　　　　　　　)

(2) 작은 원의 넓이는 몇 cm²인가요?

(　　　　　　　)

(3) 색칠한 부분의 넓이는 몇 cm²인가요?

(　　　　　　　)

1-2

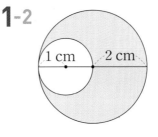

원주율: 3

(1) 큰 원의 넓이는 몇 cm²인가요?

(　　　　　　　)

(2) 작은 원의 넓이는 몇 cm²인가요?

(　　　　　　　)

(3) 색칠한 부분의 넓이는 몇 cm²인가요?

(　　　　　　　)

[2-1 ~ 2-2] 색칠한 부분의 넓이를 구하려고 합니다. 물음에 답하세요.

2-1

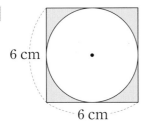

원주율: 3.1

(1) 원 밖의 정사각형의 넓이는 몇 cm²인가요?

(　　　　　　　)

(2) 원의 넓이는 몇 cm²인가요?

(　　　　　　　)

(3) ☐ 안에 알맞은 수를 써넣으세요.

> 색칠한 부분의 넓이는 원 밖의 정사각형의 넓이에서 원의 넓이를 뺀 것과 같으므로 ☐ cm²입니다.

2-2

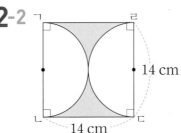

원주율: 3.14

(1) 정사각형 ㄱㄴㄷㄹ의 넓이는 몇 cm²인가요?

(　　　　　　　)

(2) 두 반원의 넓이의 합은 몇 cm²인가요?

(　　　　　　　)

(3) ☐ 안에 알맞은 수를 써넣으세요.

> 색칠한 부분의 넓이는 정사각형의 넓이에서 두 반원의 넓이를 뺀 것과 같으므로 ☐ cm²입니다.

4주
2일

기초 집중 연습

1-1 원의 넓이는 몇 cm²인가요? (원주율: 3)

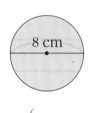

( )

1-2 원의 넓이는 몇 cm²인가요? (원주율: 3.14)

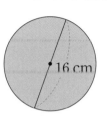

( )

2-1 영탁이가 그린 원의 넓이는 몇 cm²인가요?

(원주율: 3.14)

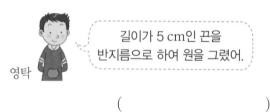

길이가 5 cm인 끈을 반지름으로 하여 원을 그렸어.

영탁

( )

2-2 다음과 같은 길이의 끈을 반지름으로 하여 원을 그리려고 합니다. 원의 넓이는 몇 cm²인가요?

(원주율: 3.1)

11 cm

( )

3-1 넓이가 더 넓은 원의 기호를 써 보세요.

(원주율: 3.1)

㉠ 반지름이 9 cm인 원
㉡ 넓이가 310 cm²인 원

( )

3-2 넓이가 더 넓은 원의 기호를 써 보세요.

(원주율: 3)

㉠ 지름이 30 cm인 원
㉡ 넓이가 867 cm²인 원

( )

▶ 정답 및 풀이 28쪽

 기초 → 기본 연습　원의 얼마만큼인지 구해 원의 넓이에 곱하자.

기초 반원의 넓이를 구하려고 합니다. 물음에 답하세요. (원주율: 3.14)

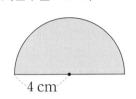

4 cm

(1) 반원은 원의 얼마인지 분수로 나타내 세요.

(　　　　　　)

(2) 반원의 넓이는 몇 cm²인가요?

(　　　　　　)

4-1 반원의 넓이는 몇 cm²인가요? (원주율: 3.1)

6 cm

식 $\square \times \square \times 3.1 \times \dfrac{1}{\square} = \square$

_____

답 _____

4주

2일

4-2 원의 일부분입니다. 넓이는 몇 cm²인가요? (원주율: 3)

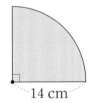

14 cm

답 _____

4-3 원의 일부분을 잘라낸 도형입니다. 넓이는 몇 cm²인가요? (원주율: 3.1)

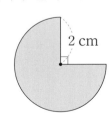

2 cm

답 _____

교과서 기초 개념

• 원기둥: 등과 같은 입체도형

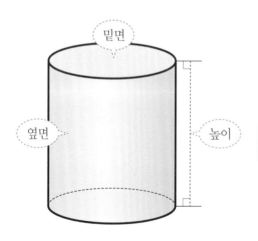

밑면

옆면   높이

── 밑면: 서로 평행하고 합동인 두 면

── 옆면: 두 ❶ [   ]과 만나는 면

── 높이: 두 밑면에 ❷ [   ]인 선분의 길이

정답 ❶ 밑면   ❷ 수직

1-1 원기둥이면 ○표, 아니면 ×표 하세요.

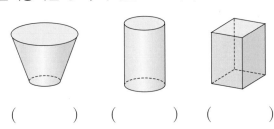

(   )   (   )   (   )

1-2 원기둥을 모두 찾아 기호를 써 보세요.

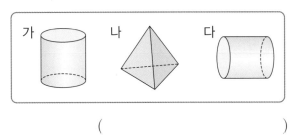

가   나   다

(   )

[2-1 ~ 2-2] 원기둥에서 각 부분의 이름을 ☐ 안에 써넣으세요.

2-1

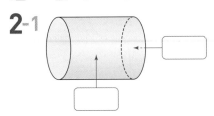

2-2

3-1 원기둥의 높이는 몇 cm인가요?

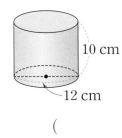

10 cm

12 cm

(   )

3-2 원기둥의 높이는 몇 cm인가요?

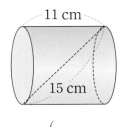

11 cm

15 cm

(   )

4주
3일

[4-1 ~ 4-2] 한 변을 기준으로 직사각형 모양의 종이를 돌려 만든 입체도형의 높이는 몇 cm인지 구하세요.

4-1

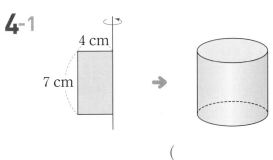

4 cm

7 cm

(   )

4-2

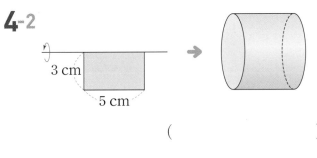

3 cm

5 cm

(   )

 교과서 기초 개념

• **원기둥의 전개도** : 원기둥을 잘라서 펼쳐 놓은 그림

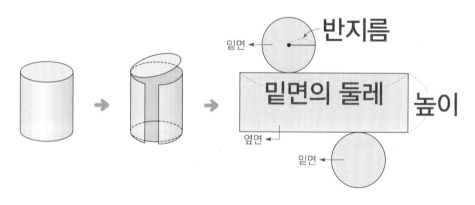

 원기둥의 전개도에서 두 원은 합동이고 옆면은 직사각형이야.

(밑면의 둘레)=(원주)
=(지름)×(원주율)

1-1 원기둥의 전개도를 바르게 그린 것을 찾아 ○표 하세요.

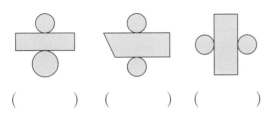

(   ) (   ) (   )

1-2 원기둥의 전개도를 바르게 그린 것을 찾아 기호를 써 보세요.

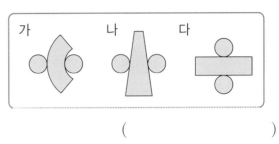

(   )

2-1 원기둥의 전개도입니다. 각 부분의 이름을 □ 안에 써넣으세요.

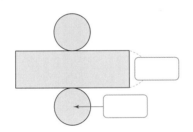

2-2 원기둥의 전개도입니다. 원기둥의 밑면을 모두 찾아 기호를 써 보세요.

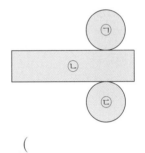

(   )

4주
3일

[3-1 ~ 4-1] 원기둥과 원기둥의 전개도를 보고 물음에 답하세요. (원주율: 3.1)

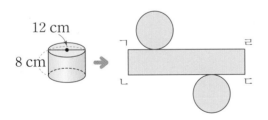

3-1 선분 ㄱㄴ의 길이는 몇 cm인가요?

(   )

4-1 선분 ㄱㄹ의 길이는 몇 cm인가요?

(   )

[3-2 ~ 4-2] 원기둥과 원기둥의 전개도를 보고 물음에 답하세요. (원주율: 3.14)

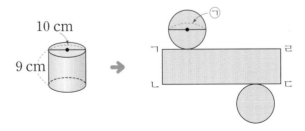

3-2 ㉠에 알맞은 길이는 몇 cm인가요?

(   )

4-2 선분 ㄴㄷ의 길이는 몇 cm인가요?

(   )

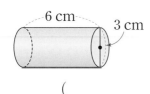

1-1 원기둥의 높이는 몇 cm인가요?

6 cm
3 cm

(   )

1-2 오른쪽 원기둥의 높이는 몇 cm인가요?

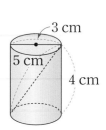

3 cm
5 cm
4 cm

(   )

2-1 오른쪽 원기둥의 전개도를 완성하고, ☐ 안에 알맞은 수를 써넣으세요. (원주율: 3)

1 cm
3 cm

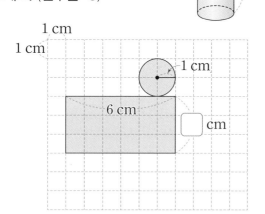

1 cm
1 cm

1 cm

6 cm

☐ cm

2-2 오른쪽 원기둥의 전개도를 완성하고, ☐ 안에 알맞은 수를 써넣으세요. (원주율: 3)

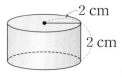

2 cm
2 cm

1 cm
1 cm

2 cm

2 cm

☐ cm

3-1 원기둥과 각기둥의 공통점이 아닌 것을 찾아 기호를 써 보세요.

> ㉠ 밑면이 2개입니다.
> ㉡ 밑면이 서로 합동입니다.
> ㉢ 밑면이 다각형입니다.

(   )

3-2 설명이 맞으면 ○표, 틀리면 ×표 하세요.

• 원기둥의 밑면은 원이고, 각기둥의 밑면은 다각형입니다. ·························· (   )

• 원기둥에는 굽은 면이 있지만 각기둥에는 굽은 면이 없습니다. ················· (   )

기초 → 기본 연습   원기둥은 위아래에 있는 두 면이 서로 평행하고 합동인 원이다.

기초 ☐ 안에 알맞은 말을 써넣으세요.

원기둥에서 서로 평행하고 합동인 두 면을 [   ](이)라 하고, 두 밑면과 만나는 면을 [   ](이)라고 합니다.

➡

4-1 원기둥에 대한 설명입니다. 잘못된 부분을 찾아 밑줄을 긋고 바르게 고쳐 보세요.

두 밑면은 서로 수직이고 합동입니다.

4-2 원기둥에 대해 잘못 말한 사람은 누구인지 쓰고, 바르게 고쳐 보세요.

정우: 원기둥의 두 밑면은 합동인 원이야.

준희: 원기둥의 밑면은 1개이고 옆면은 굽은 면이야.

답 _____

고치기 _____

4-3 오른쪽 입체도형은 원기둥이 아닙니다. 그 이유를 써 보세요.

이유 _____

4-4 오른쪽은 원기둥의 전개도가 아닙니다. 그 이유를 써 보세요.

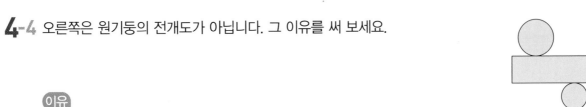

이유 _____

 교과서 기초 개념

• **원뿔**: ⌂, ⌂, ⌂ 등과 같은 입체도형

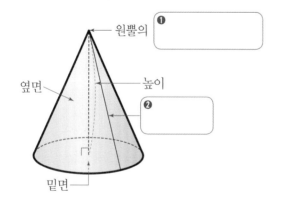

원뿔의 **❶**

❷

- **밑면**: 평평한 면
- **옆면**: 옆을 둘러싼 굽은 면
- **원뿔의 꼭짓점**: 뾰족한 부분의 점
- **모선**: 원뿔의 꼭짓점과 밑면인 원의 둘레의 한 점을 이은 선분
- **높이**: 원뿔의 꼭짓점에서 밑면에 수직인 선분 의 길이

정답 ❶ 꼭짓점   ❷ 모선

1-1 원뿔을 찾아 ○표 하세요.

1-2 원뿔이면 ○표, 아니면 ×표 하세요.

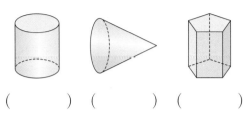

(   ) (   ) (   )

2-1 원뿔에서 각 부분의 이름을 ☐ 안에 써넣으세요.

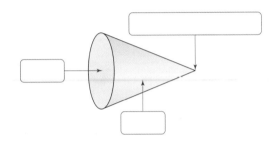

2-2 원뿔에서 각 부분의 이름을 ☐ 안에 써넣으세요.

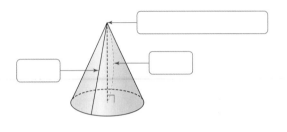

3-1 원뿔의 어느 부분을 재는 그림인지 보기 에서 찾아 써 보세요.

보기
높이   모선의 길이

(   )

3-2 원뿔의 어느 부분을 재는 그림인지 보기 에서 찾아 써 보세요.

보기
높이   모선의 길이

(   )

4-1 한 변을 기준으로 직각삼각형 모양의 종이를 돌려 만든 입체도형입니다. 밑면의 지름은 몇 cm인가요?

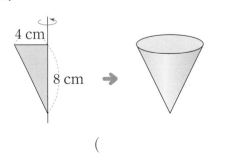

(   )

4-2 한 변을 기준으로 직각삼각형 모양의 종이를 돌려 만든 입체도형입니다. 높이는 몇 cm인가요?

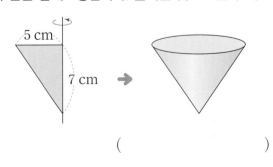

(   )

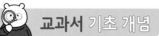 **교과서 기초 개념**

• 구: ⚽, 🔴, ⚾ 등과 같은 입체도형

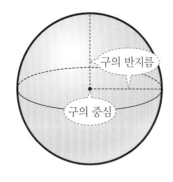

구의 반지름
구의 중심

구는 굽은 면으로 둘러싸여 있고 잘 굴러가.

구의 중심: 구에서 가장 안쪽에 있는 점

구의 반지름: 구의 ❶ 에서 구의 겉면의 한 점을 이은 선분

정답 ❶ 중심

1-1 구를 찾아 ○표 하세요.

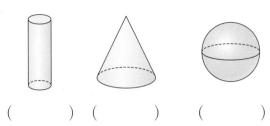

(   ) (   ) (   )

1-2 입체도형의 이름을 써 보세요.

(   )

2-1 구에서 각 부분의 이름을 ☐ 안에 써넣으세요.

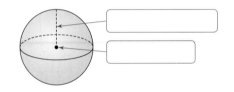

2-2 구의 중심을 찾아 기호를 써 보세요.

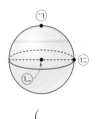

(   )

3-1 구의 반지름은 몇 cm인가요?

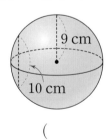

9 cm

10 cm

(   )

3-2 구의 반지름은 몇 cm인가요?

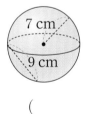

7 cm

9 cm

(   )

[**4-1 ~ 4-2**] 지름을 기준으로 반원 모양의 종이를 한 바퀴 돌렸을 때 만들어지는 입체도형은 구입니다. 구의 반지름은 몇 cm인지 구하세요.

4-1

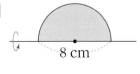

8 cm

(   )

4-2

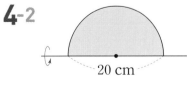

20 cm

(   )

기초 집중 연습

1-1 구의 반지름은 몇 cm인가요?

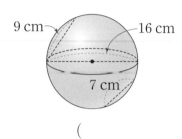
9 cm 16 cm
7 cm

( )

1-2 구의 반지름은 몇 cm인가요?

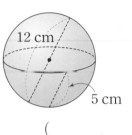
12 cm
5 cm

( )

2-1 원뿔에서 밑면의 지름은 몇 cm인가요?

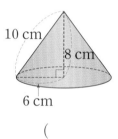
10 cm
8 cm
6 cm

( )

2-2 원뿔에서 높이는 몇 cm인가요?

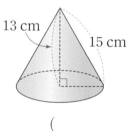
13 cm
15 cm

( )

3-1 입체도형을 보고 빈 곳에 알맞게 써넣으세요.

밑면의 모양	삼각형	
위에서 본 모양		

3-2 두 입체도형의 공통점을 한 가지만 써 보세요.

공통점

▶ 정답 및 풀이 30쪽

 기초 → 기본 연습   원뿔과 구의 구성 요소, 특징을 기억하자.

기초 원뿔에서 각 부분의 이름을 ☐ 안에 써넣으세요.

4-1 원뿔에 대한 설명입니다. 잘못된 부분을 찾아 밑줄을 긋고 바르게 고쳐 보세요.

원뿔의 높이는 항상 모선의 길이보다 깁니다.

4-2 구에 대해 잘못 말한 사람은 누구인지 쓰고, 바르게 고쳐 보세요.

 영탁 구의 반지름은 무수히 많아.

구의 중심에서 구의 겉면에 있는 점까지 이르는 거리는 모두 달라. 민하

답 _____

고치기 _____

_____

4-3 구에 대해 바르게 설명한 것을 모두 찾아 기호를 써 보세요.

㉠ 굽은 면으로 둘러싸여 있습니다.
㉡ 반지름의 길이는 모두 같습니다.
㉢ 밑면의 모양이 원입니다.

답 _____

4주 4일

 교과서 기초 개념

• 여러 가지 모양 만들기

원기둥 1개와 원뿔 **❶**[ ]개를
사용하여 만든 우주선

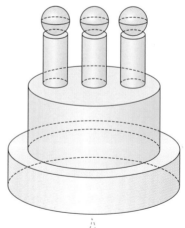

원기둥 5개와 **❷**[ ] 3개를
사용하여 만든 케이크

정답 ❶ 3   ❷ 구

1-1 모양을 만드는 데 사용한 입체도형을 모두 찾아 ○표 하세요.

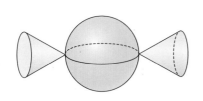

| 원기둥 | 원뿔 | 구 |

1-2 모양을 만드는 데 사용한 입체도형을 모두 찾아 ○표 하세요.

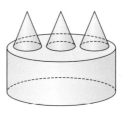

| 원기둥 | 원뿔 | 구 |

[**2-1** ~ **2-4**] 모양을 만드는 데 사용한 각 입체도형의 수를 세어 빈칸에 써넣으세요.

2-1

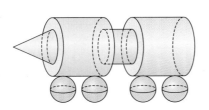

입체도형	원기둥	원뿔	구
도형의 수(개)			

2-2

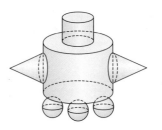

입체도형	원기둥	원뿔	구
도형의 수(개)			

2-3

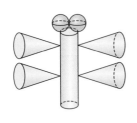

입체도형	원기둥	원뿔	구
도형의 수(개)			

2-4

입체도형	원기둥	원뿔	구
도형의 수(개)			

4주
5일

〈공통점〉
• 굽은 면이 있습니다.
• 위에서 본 모양이 원입니다.

〈차이점〉
원기둥은 기둥 모양이고 뾰족한 부분이 없지만 원뿔은 뿔 모양이고 뾰족한 부분이 있습니다.

교과서 기초 개념

• 원기둥, 원뿔, 구의 공통점과 차이점

		원기둥	원뿔	구
공통점	굽은 면	있음.	있음.	있음.
	위에서 본 모양	원	원	❶
차이점	앞, 옆에서 본 모양	직사각형	❷	원
	전체 모양	기둥 모양	뿔 모양	공 모양
	뾰족한 부분	없음.	있음.	없음.

정답 ❶ 원 ❷ 삼각형

▶정답 및 풀이 31쪽

[**1**-1 ~ **1**-2] 입체도형을 보고 물음에 답하세요.

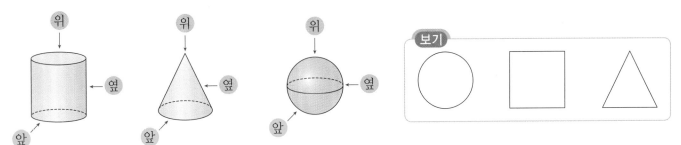

1-1 앞에서 본 모양을 [보기] 에서 골라 그리고, 그린 모양에서 알 수 있는 점을 써 보세요.

입체도형	원기둥	원뿔	구
앞에서 본 모양			

[알 수 있는 점] _____

_____

_____

1-2 위에서 본 모양을 [보기] 에서 골라 그리고, 그린 모양에서 알 수 있는 점을 써 보세요.

입체도형	원기둥	원뿔	구
위에서 본 모양			

[알 수 있는 점] _____

_____

_____

[**2**-1 ~ **2**-2] ☐ 안에 입체도형의 이름을 각각 써넣고, 공통점과 차이점을 한 가지씩 써 보세요.

2-1

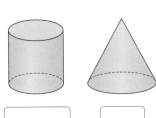

[공통점] _____

[차이점] _____

_____

2-2

[공통점] _____

[차이점] _____

_____

기본 문제 연습

1-1 원기둥과 구의 공통점을 찾아 기호를 써 보세요.

> ㉠ 전체 모양
> ㉡ 옆에서 본 모양
> ㉢ 위에서 본 모양

(   )

1-2 원기둥에는 있지만 구에는 없는 것을 모두 찾아 ○표 하세요.

밑면	꼭짓점
( )	( )
평평한 면	굽은 면
( )	( )

[2-1 ~ 2-2] ☐ 안에 알맞은 입체도형을 보기 에서 찾아 써넣으세요.

> **보기**
> 원기둥, 원뿔, 구

2-1

수현

☐ 은/는 뾰족한 부분이 있지만 ☐ 와/과 구는 뾰족한 부분이 없어.

2-2

민호

☐ 은/는 어느 방향에서 보아도 모양이 모두 원이야.

3-1 원기둥과 원뿔만 사용하여 만든 모양의 기호를 써 보세요.

가 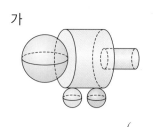   나

(   )

3-2 원뿔과 구만 사용하여 만든 모양의 기호를 써 보세요.

가   나

(   )

기초 → 기본 연습   ⬭: 원기둥, △: 원뿔, ⬬: 구

기초 다음은 입체도형 3개로 만든 모양입니다. 어떤 입체도형으로 만든 모양인가요?

답 _____

4-1 알맞은 입체도형에 ○표 하고, ☐ 안에 알맞은 수를 써넣으세요.

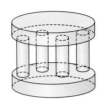

(원기둥 , 원뿔 , 구)을/를 ☐개 사용하여 만든 모양입니다.

4-2 원기둥, 원뿔, 구 중에서 다음 모양을 만드는 데 어떤 입체도형을 몇 개 사용했는지 차례로 써 보세요.

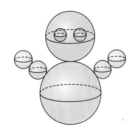

답 _____ .

4-3 다음 모양을 만드는 데 원기둥, 원뿔, 구 중에서 가장 많이 사용한 입체도형을 써 보세요.

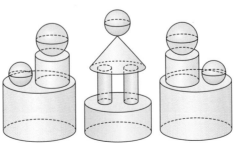

답 _____

1 원기둥과 원뿔을 각각 모두 찾아 기호를 써 보세요.

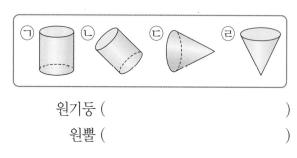

원기둥 (   )

원뿔 (   )

2 구의 반지름은 몇 cm인가요?

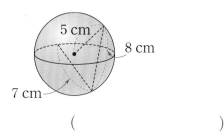

(   )

3 ☐ 안에 알맞은 수를 써넣으세요. (원주율: 3.14)

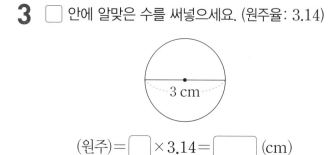

(원주)= ☐ × 3.14 = ☐ (cm)

4 원의 지름을 구하려고 합니다. ☐ 안에 알맞은 수를 써넣으세요. (원주율: 3.1)

(1)

원주: 21.7 cm

(2)

원주: 24.8 cm

5 원뿔에 대해 바르게 설명한 사람은 누구인가요?

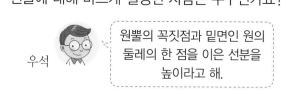

우석 원뿔의 꼭짓점과 밑면인 원의 둘레의 한 점을 이은 선분을 높이라고 해.

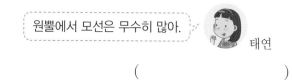

원뿔에서 모선은 무수히 많아. 태연

(   )

6 원기둥, 원뿔, 구 중에서 다음 모양을 만드는 데 사용하지 않은 입체도형을 써 보세요.

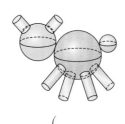

(   )

7 오른쪽 원의 넓이를 바르게 구한 사람의 이름을 써 보세요.

(원주율: 3)

 75 cm² 300 cm²

수현   민하

(   )

8 구와 원기둥을 보고 차이점으로 알맞은 것의 기호를 써 보세요.

ㄱ 꼭짓점의 수
ㄴ 앞에서 본 모양

(   )

9 원의 일부분입니다. 넓이는 몇 cm²인가요?

(원주율: 3)

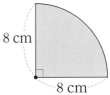

8 cm

8 cm

⑴ 반지름이 8 cm인 원의 넓이는 몇 cm²인가요?

(   )

⑵ 위 도형의 넓이는 몇 cm²인가요?

(   )

10 원기둥과 원기둥의 전개도를 보고 □ 안에 알맞은 수를 써넣으세요. (원주율: 3.1)

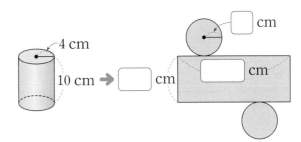

4 cm

10 cm ➡ □ cm

□ cm

□ cm

4주

평가

• **165**

창의·융합·코딩

정호가 밟은 얼음 모양은?

 창의 1 정호가 무언가를 밟고 아파합니다. 정호가 밟은 것을 찾아보세요.

 얼음 틀에 있는 얼음 모양을 보고 정호가 밟은 얼음은 어떤 입체도형인지 찾아 이름을 써 보세요.

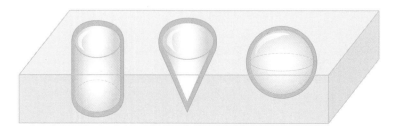

답 _____

▶정답 및 풀이 32쪽

초코 머핀을 놓은 쟁반을 찾아라!

 창의 2 다음 그림을 보고 초코 머핀을 놓을 원 모양의 쟁반을 찾아 넓이가 몇 cm²인지 구하세요. (원주율: 3)

자~ 이제 진열해 볼까?
초코 머핀은 블루베리 머핀
옆에 놓으면 안 되겠다.

블루베리 머핀은 치즈
머핀 옆에 놓고, 이 치즈 머핀
은 초코 머핀보다 쿠키 쪽에
가까이 놓아야겠군.

와~ 맛있겠다.

난 초코 머핀
사야지~

 초코 머핀을 놓을 쟁반의
넓이는 몇 cm²인가요?

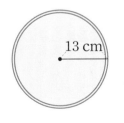
13 cm

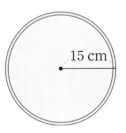
15 cm

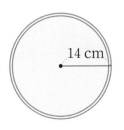
14 cm

답 _____

창의·융합·코딩

[3~4] 다음 건물에서 분홍색으로 표시한 부분은 어떤 입체도형으로 만든 것인지 찾아 ○표 하세요.

융합 3

| 원기둥 | 원뿔 | 구 |

융합 4

| 원기둥 | 원뿔 | 구 |

창의 5 도넛 9개를 꼭 맞게 넣을 수 있는 정사각형 모양의 상자가 있습니다. 도넛 한 개의 바깥쪽 원주가 28.26 cm일 때 상자의 한 변의 길이를 구하세요.

(다만, 상자의 두께는 생각하지 않습니다. 원주율: 3.14)

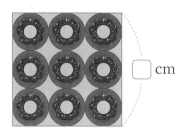

☐ cm

(1) 도넛 한 개의 바깥쪽 지름은 몇 cm인가요?

답 _____

(2) 상자의 한 변의 길이는 몇 cm인가요?

답 _____

▶ 정답 및 풀이 32쪽

 천연기념물 울주 구량리 은행나무의 둘레는 1290 cm입니다. 이 나무의 지름은 몇 cm인가요? (원주율: 3)

답 _____

[7~8] 원기둥, 원뿔, 구가 있습니다. ☐ 안에 각 방향에서 본 모양에 알맞은 입체도형의 이름을 써넣으세요.

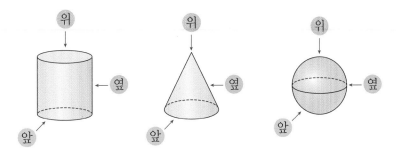

4주
특강

시작하기 버튼을 클릭했을 때

만일 (위에서 본 모양)=(원)

그리고 (앞에서 본 모양)=(직사각형)

그리고 (옆에서 본 모양)=(직사각형)이라면

(이 도형은 ☐ 입니다.)를 말하기

코딩8

시작하기 버튼을 클릭했을 때

만일 (위에서 본 모양)=(원)

그리고 (앞에서 본 모양)=(원)

그리고 (옆에서 본 모양)=(원)이라면

(이 도형은 ☐ 입니다.)를 말하기

[9~11] 수정이가 블록으로 '수정 마을'을 만들었습니다. 마을에 있는 기차가 기찻길을 한 바퀴 돌았을 때 기차가 달린 거리를 구하려고 합니다. 물음에 답하세요. (다만, 기차의 두께는 생각하지 않습니다. 원주율: 3)

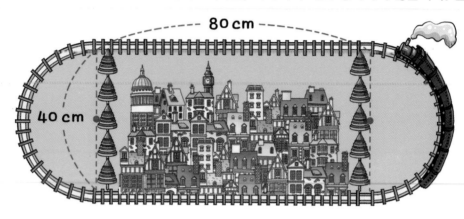

창의 9   기차가 직선으로 달린 거리는 몇 cm인가요?

답 _____

창의 10   기차가 굽은 선으로 달린 거리는 몇 cm인가요?

답 _____

창의 11   기차가 기찻길로 한 바퀴 달린 거리는 몇 cm인가요?

답 _____

[12~13] 아르키메데스의 묘비에는 다음과 같이 원기둥 안에 꼭 맞게 들어가는 구가 그려져 있습니다. 구의 반지름이 3 cm일 때, 물음에 답하세요.

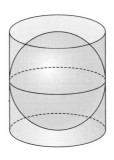

용합12 알맞은 말에 ○표 하세요.

> 원기둥의 높이는 구의 (반지름 , 지름)과 같습니다.

용합13 각 부분의 길이에 맞게 원기둥의 전개도를 완성하세요. (원주율: 3)

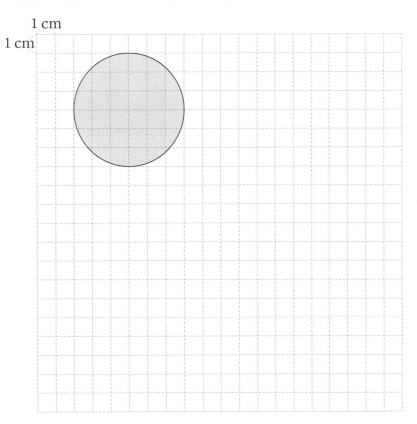

MEMO

천재교육 초등 수학 마스터

하

기초
연산서

개념서

유형서

최상위

상

난이도

계산박사

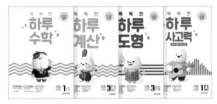
빅터연산
창의융합 빅터연산

똑똑한 하루 시리즈 수학/계산/도형/사고력

개념클릭

개념 해결의 법칙

우등생 해법수학

유형 해결의 법칙

수학도 독해가 힘이다

응용 해결의 법칙

최고수준

최강 TOT

평가대비 특화교재

수학 단원평가

수학전략

해법수학
경시대회 기출문제

예비 중학
신입생 수학

쉽다!

10분이면 하루치 공부를 마칠 수 있는 커리큘럼으로, 아이들이 초등 학습에 쉽고 재미있게 접근할 수 있도록 구성하였습니다.

재미있다!

교과서는 물론 생활 속에서 쉽게 접할 수 있는 다양한 소재와 재미있는 게임 형식의 문제로 흥미로운 학습이 가능합니다.

똑똑하다!

초등학생에게 꼭 필요한 학습 지식 습득은 물론 창의력 확장까지 가능한 교재로 올바른 공부습관을 가지는 데 도움을 줍니다.

과목	교재 구성	과목	교재 구성
하루 독해	예비초~6학년 각 A·B (14권)	하루 VOCA	3~6학년 각 A·B (8권)
하루 어휘	예비초~6학년 각 A·B (14권)	하루 Grammar	3~6학년 각 A·B (8권)
하루 글쓰기	예비초~6학년 각 A·B (14권)	하루 Reading	3~6학년 각 A·B (8권)
하루 한자	예비초: 예비초 A·B (2권) 1~6학년: 1A~4C (12권)	하루 Phonics	Starter A·B / 1A~3B (8권)
하루 수학	1~6학년 1·2학기 (12권)	하루 봄·여름·가을·겨울	1~2학년 각 2권 (8권)
하루 계산	예비초~6학년 각 A·B (14권)	하루 사회	3~6학년 1·2학기 (8권)
하루 도형	예비초~6학년 각 A·B (14권)	하루 과학	3~6학년 1·2학기 (8권)
하루 사고력	1~6학년 각 A·B (12권)	하루 안전	1~2학년 (2권)

정답 및 풀이

똑 똑 한
하루
수학

초등
수학 **6·2**

천재교육

정답 및 풀이
포인트 3가지

▶ OX퀴즈로 쉬어가며 개념 확인

▶ 혼자서도 이해할 수 있는 문제 풀이

▶ 참고, 주의 등 자세한 풀이 제시

1주 · 분수의 나눗셈 / 소수의 나눗셈

✱ 개념 ○✕ 퀴즈

옳으면 ○에, 틀리면 ✕에 ○표 하세요.

퀴즈 1

$$\frac{4}{7} \div \frac{2}{7} = 4 \div 2 = 2$$로
계산할 수 있습니다.

○　　　✕

퀴즈 2

7.2÷0.6을 자연수의 나눗셈
72÷6으로 계산할 수 있습니다.

○　　　✕

정답은 9쪽에서 확인하세요.

6~7쪽	1주에는 무엇을 공부할까? ②

1-1 (1) 3, $\frac{6}{35}$　(2) 3, $\frac{5}{24}$

1-2 (1) $\frac{7}{18}$　(2) $\frac{5}{28}$

2-1 (1) 11　(2) $14\frac{1}{2}$　　**2-2** (1) 20　(2) 33

3-1 (1) $\frac{5}{7}$　(2) $\frac{9}{2}$

3-2 (1) $\frac{8}{11}$　(2) $\frac{4}{5}$　(3) $\frac{7}{9}$

4-1 (1) 2, $\frac{3}{8}$　(2) 3, 5, $\frac{3}{10}$

4-2 (1) $\frac{4}{21}$　(2) $\frac{12}{35}$

1-2 (1) $\frac{7}{9} \times \frac{1}{2} = \frac{7 \times 1}{9 \times 2} = \frac{7}{18}$

(2) $\frac{5}{\overset{}{\underset{4}{12}}} \times \frac{3}{7} = \frac{5 \times 1}{4 \times 7} = \frac{5}{28}$

2-1 (1) $2\frac{1}{5} \times 5 = \frac{11}{\overset{}{\underset{1}{5}}} \times \overset{1}{5} = 11$

(2) $4\frac{5}{6} \times 3 = \frac{29}{\overset{}{\underset{2}{6}}} \times \overset{1}{3} = \frac{29}{2} = 14\frac{1}{2}$

2-2 (1) $1\frac{3}{7} \times 14 = \frac{10}{\overset{}{\underset{1}{7}}} \times \overset{2}{14} = 20$

(2) $3\frac{2}{3} \times 9 = \frac{11}{\overset{}{\underset{1}{3}}} \times \overset{3}{9} = 33$

4-2 (1) $\frac{4}{7} \div 3 = \frac{4}{7} \times \frac{1}{3} = \frac{4}{21}$

(2) $2\frac{2}{5} \div 7 = \frac{12}{5} \times \frac{1}{7} = \frac{12}{35}$

9쪽	개념 · 원리 확인
1-1 2	**1-2** 3
2-1 5, 1 / 5, 1, 5	**2-2** 4, 1 / 4, 1, 4
3-1 3, 1, 3	**3-2** 7, 1, 7
4-1 (1) 5　(2) 7	**4-2** (1) 9　(2) 7

1-1 $\frac{2}{3}$에는 $\frac{1}{3}$이 2번 들어갑니다. ➡ $\frac{2}{3} \div \frac{1}{3} = 2$

1-2 $\frac{3}{4}$에는 $\frac{1}{4}$이 3번 들어갑니다. ➡ $\frac{3}{4} \div \frac{1}{4} = 3$

4-1 (1) $\frac{5}{8} \div \frac{1}{8} = 5 \div 1 = 5$

(2) $\frac{7}{12} \div \frac{1}{12} = 7 \div 1 = 7$

4-2 (1) $\frac{9}{10} \div \frac{1}{10} = 9 \div 1 = 9$

(2) $\frac{7}{16} \div \frac{1}{16} = 7 \div 1 = 7$

11쪽	개념·원리 확인

1-1 2   **1**-2 2

2-1 4, 2 / 4, 2, 2   **2**-2 8, 2 / 8, 2, 4

3-1 8, 4, 2   **3**-2 14, 7, 2

4-1 (1) 3 (2) 3   **4**-2 (1) 5 (2) 2

4-1 (1) $\dfrac{6}{7} \div \dfrac{2}{7} = 6 \div 2 = 3$

(2) $\dfrac{9}{11} \div \dfrac{3}{11} = 9 \div 3 = 3$

4-2 (1) $\dfrac{10}{13} \div \dfrac{2}{13} = 10 \div 2 = 5$

(2) $\dfrac{12}{17} \div \dfrac{6}{17} = 12 \div 6 = 2$

12~13쪽	기초 집중 연습

1-1 3   **1**-2 7

2-1 4   **2**-2 3

3-1 •—• •—•   **3**-2 (교차선)

4-1 (○)(   )   **4**-2 >

연산 5   **5**-1 $\dfrac{5}{7} \div \dfrac{1}{7} = 5$, 5도막

5-2 $\dfrac{8}{9} \div \dfrac{4}{9} = 2$, 2개

5-3 $\dfrac{8}{11} \div \dfrac{2}{11} = 4$, 4봉지

1-1 $\dfrac{3}{5} \div \dfrac{1}{5} = 3 \div 1 = 3$

1-2 $\dfrac{7}{10} \div \dfrac{1}{10} = 7 \div 1 = 7$

2-1 $\dfrac{8}{15} \div \dfrac{2}{15} = 8 \div 2 = 4$

2-2 $\dfrac{6}{11} \div \dfrac{2}{11} = 6 \div 2 = 3$

3-1 $\dfrac{9}{10} \div \dfrac{3}{10} = 9 \div 3 = 3$, $\dfrac{6}{7} \div \dfrac{1}{7} = 6 \div 1 = 6$

3-2 $\dfrac{3}{8} \div \dfrac{1}{8} = 3 \div 1 = 3$, $\dfrac{6}{13} \div \dfrac{3}{13} = 6 \div 3 = 2$

4-1 $\dfrac{7}{8} \div \dfrac{1}{8} = 7 \div 1 = 7$, $\dfrac{15}{17} \div \dfrac{3}{17} = 15 \div 3 = 5$
➡ 7 > 5

4-2 $\dfrac{12}{13} \div \dfrac{2}{13} = 12 \div 2 = 6$, $\dfrac{5}{9} \div \dfrac{1}{9} = 5 \div 1 = 5$
➡ 6 > 5

연산 $\dfrac{5}{7} \div \dfrac{1}{7} = 5 \div 1 = 5$

5-2 $\dfrac{8}{9} \div \dfrac{4}{9} = 8 \div 4 = 2$(개)

5-3 $\dfrac{8}{11} \div \dfrac{2}{11} = 8 \div 2 = 4$(봉지)

15쪽	개념·원리 확인

1-1 5, 2, $\dfrac{5}{2}$, $2\dfrac{1}{2}$ **1**-2 9, 5, $\dfrac{9}{5}$, $1\dfrac{4}{5}$

2-1 3, 2, 3, 2, $\dfrac{3}{2}$, $1\dfrac{1}{2}$ **2**-2 7, 3, 7, 3, $\dfrac{7}{3}$, $2\dfrac{1}{3}$

3-1 (1) $\dfrac{8}{11} \div \dfrac{3}{11} = 8 \div 3 = \dfrac{8}{3} = 2\dfrac{2}{3}$

(2) $\dfrac{9}{13} \div \dfrac{4}{13} = 9 \div 4 = \dfrac{9}{4} = 2\dfrac{1}{4}$

3-2 (1) $\dfrac{5}{8} \div \dfrac{3}{8} = 5 \div 3 = \dfrac{5}{3} = 1\dfrac{2}{3}$

(2) $\dfrac{11}{12} \div \dfrac{5}{12} = 11 \div 5 = \dfrac{11}{5} = 2\dfrac{1}{5}$

(3) $\dfrac{7}{15} \div \dfrac{2}{15} = 7 \div 2 = \dfrac{7}{2} = 3\dfrac{1}{2}$

4-1 (1) $1\dfrac{3}{5}$ (2) $3\dfrac{2}{3}$ **4**-2 (1) $1\dfrac{1}{3}$ (2) $3\dfrac{1}{3}$

4-1 (1) $\dfrac{8}{9} \div \dfrac{5}{9} = 8 \div 5 = \dfrac{8}{5} = 1\dfrac{3}{5}$

(2) $\dfrac{11}{16} \div \dfrac{3}{16} = 11 \div 3 = \dfrac{11}{3} = 3\dfrac{2}{3}$

4-2 (1) $\dfrac{4}{5} \div \dfrac{3}{5} = 4 \div 3 = \dfrac{4}{3} = 1\dfrac{1}{3}$

(2) $\dfrac{10}{11} \div \dfrac{3}{11} = 10 \div 3 = \dfrac{10}{3} = 3\dfrac{1}{3}$

개념·원리 확인

1-1 6, 6, 6 **1-2** 10, 10, 10

2-1 $\dfrac{3}{4} \div \dfrac{2}{3} = \dfrac{9}{12} \div \dfrac{8}{12} = 9 \div 8 = \dfrac{9}{8} = 1\dfrac{1}{8}$

2-2 (1) $\dfrac{1}{4} \div \dfrac{5}{12} = \dfrac{3}{12} \div \dfrac{5}{12} = 3 \div 5 = \dfrac{3}{5}$

(2) $\dfrac{4}{5} \div \dfrac{3}{7} = \dfrac{28}{35} \div \dfrac{15}{35} = 28 \div 15$

$= \dfrac{28}{15} = 1\dfrac{13}{15}$

3-1 (1) $\dfrac{3}{10}$ (2) $2\dfrac{1}{3}$ **3-2** (1) $1\dfrac{3}{7}$ (2) $1\dfrac{1}{5}$

4-1 $2\dfrac{1}{2}$ **4-2** $\dfrac{14}{15}$

3-1 (1) $\dfrac{1}{5} \div \dfrac{2}{3} = \dfrac{3}{15} \div \dfrac{10}{15} = 3 \div 10 = \dfrac{3}{10}$

(2) $\dfrac{7}{9} \div \dfrac{1}{3} = \dfrac{7}{9} \div \dfrac{3}{9} = 7 \div 3 = \dfrac{7}{3} = 2\dfrac{1}{3}$

3-2 (1) $\dfrac{5}{7} \div \dfrac{1}{2} = \dfrac{10}{14} \div \dfrac{7}{14} = 10 \div 7 = \dfrac{10}{7} = 1\dfrac{3}{7}$

4-1 $\dfrac{5}{6} \div \dfrac{1}{3} = \dfrac{5}{6} \div \dfrac{2}{6} = 5 \div 2 = \dfrac{5}{2} = 2\dfrac{1}{2}$

4-2 $\dfrac{7}{9} \div \dfrac{5}{6} = \dfrac{14}{18} \div \dfrac{15}{18} = 14 \div 15 = \dfrac{14}{15}$

3-2 $\underset{\textstyle\textcircled{\scriptsize ㉠}}{\dfrac{11}{12} \div \dfrac{1}{4}} = \dfrac{11}{12} \div \dfrac{3}{12} = \underset{\textstyle\textcircled{\scriptsize ㉡}}{11 \div 3} = \underset{\textstyle\textcircled{\scriptsize ㉢}}{\dfrac{11}{3} = 3\dfrac{2}{3}}$

4-1 ㉠ $\dfrac{2}{3} \div \dfrac{3}{5} = \dfrac{10}{15} \div \dfrac{9}{15} = 10 \div 9 = \dfrac{10}{9} = 1\dfrac{1}{9}$

㉡ $\dfrac{5}{6} \div \dfrac{2}{3} = \dfrac{5}{6} \div \dfrac{4}{6} = 5 \div 4 = \dfrac{5}{4} = 1\dfrac{1}{4}$

➡ ㉠ $1\dfrac{1}{9} <$ ㉡ $1\dfrac{1}{4}$

4-2 민호: $\dfrac{9}{11} \div \dfrac{2}{11} = 9 \div 2 = \dfrac{9}{2} = 4\dfrac{1}{2}$

정우: $\dfrac{13}{15} \div \dfrac{4}{15} = 13 \div 4 = \dfrac{13}{4} = 3\dfrac{1}{4}$

➡ $4\dfrac{1}{2} > 3\dfrac{1}{4}$

연산 $\dfrac{7}{15} \div \dfrac{2}{3} = \dfrac{7}{15} \div \dfrac{10}{15} = 7 \div 10 = \dfrac{7}{10}$

5-2 (은수가 마신 우유량)÷(지호가 마신 우유량)

$= \dfrac{2}{5} \div \dfrac{7}{10} = \dfrac{4}{10} \div \dfrac{7}{10} = 4 \div 7 = \dfrac{4}{7}$(배)

5-3 (전체 색 테이프의 길이)

÷(색 테이프 한 도막의 길이)

$= \dfrac{2}{3} \div \dfrac{1}{6} = \dfrac{4}{6} \div \dfrac{1}{6} = 4 \div 1 = 4$(도막)

기초 집중 연습

1-1 $2\dfrac{1}{3}$ **1-2** $3\dfrac{1}{4}$

2-1 **2-2**

3-1 ㉠ 5, ㉡ 14

3-2 ㉠ $\dfrac{3}{12}$, ㉡ 3, ㉢ $3\dfrac{2}{3}\left(=\dfrac{11}{3}\right)$

4-1 ㉠ **4-2** 민호

연산 $\dfrac{7}{10}$ **5-1** $\dfrac{7}{15} \div \dfrac{2}{3} = \dfrac{7}{10}$, $\dfrac{7}{10}$배

5-2 $\dfrac{2}{5} \div \dfrac{7}{10} = \dfrac{4}{7}$, $\dfrac{4}{7}$배 **5-3** $\dfrac{2}{3} \div \dfrac{1}{6} = 4$, 4도막

개념·원리 확인

1-1 (1) 2, 3, 6 (2) 3, 5, 10

1-2 (1) 4, 5, 10 (2) 3, 7, 21

2-1 (1) $6 \div \dfrac{3}{7} = (6 \div 3) \times 7 = 14$

(2) $8 \div \dfrac{4}{9} = (8 \div 4) \times 9 = 18$

2-2 (1) $8 \div \dfrac{2}{5} = (8 \div 2) \times 5 = 20$

(2) $6 \div \dfrac{3}{10} = (6 \div 3) \times 10 = 20$

(3) $10 \div \dfrac{5}{7} = (10 \div 5) \times 7 = 14$

3-1 21 **3-2** 30

4-1 45 **4-2** 20

3-1 $12 \div \dfrac{4}{7} = (12 \div 4) \times 7 = 21$

3-2 $9 \div \dfrac{3}{10} = (9 \div 3) \times 10 = 30$

4-1 $10 \div \dfrac{2}{9} = (10 \div 2) \times 9 = 45$

4-2 $12 \div \dfrac{3}{5} = (12 \div 3) \times 5 = 20$

4-1 $\dfrac{8}{11} \div \dfrac{1}{4} = \dfrac{8}{11} \times 4 = \dfrac{32}{11} = 2\dfrac{10}{11}$

4-2 $\dfrac{2}{9} \div \dfrac{4}{7} = \dfrac{\overset{1}{2}}{9} \times \dfrac{7}{\underset{2}{4}} = \dfrac{7}{18}$

24~25쪽	기초 집중 연습

1-1 28   **1**-2 24

2-1 ㉮ 5, ㉯ 2   **2**-2 $\dfrac{4}{3}$

3-1   **3**-2

4-1 $<$ **4**-2 ㉠

연산 14   **5**-1 $8 \div \dfrac{4}{7} = 14$, 14도막

5-2 $\dfrac{5}{7} \div \dfrac{3}{5} = 1\dfrac{4}{21}$, $1\dfrac{4}{21}$배

5-3 $\dfrac{11}{12} \div \dfrac{4}{5} = 1\dfrac{7}{48}$, $1\dfrac{7}{48}$ m

---

23쪽	개념·원리 확인

1-1 (1) $\dfrac{5}{6} \div \dfrac{2}{9} = \dfrac{5}{6} \times \dfrac{9}{2}$

(2) $\dfrac{3}{5} \div \dfrac{4}{11} = \dfrac{3}{5} \times \dfrac{11}{4}$

1-2 (1) $\dfrac{3}{8} \div \dfrac{3}{4} = \dfrac{3}{8} \times \dfrac{4}{3}$

(2) $\dfrac{7}{10} \div \dfrac{6}{7} = \dfrac{7}{10} \times \dfrac{7}{6}$

(3) $\dfrac{5}{12} \div \dfrac{2}{3} = \dfrac{5}{12} \times \dfrac{3}{2}$

2-1 $\dfrac{1}{6} \div \dfrac{7}{9} = \dfrac{1}{\underset{2}{6}} \times \dfrac{\overset{3}{9}}{7} = \dfrac{3}{14}$

2-2 (1) $\dfrac{7}{8} \div \dfrac{4}{5} = \dfrac{7}{8} \times \dfrac{5}{4} = \dfrac{35}{32} = 1\dfrac{3}{32}$

(2) $\dfrac{3}{7} \div \dfrac{5}{6} = \dfrac{3}{7} \times \dfrac{6}{5} = \dfrac{18}{35}$

3-1 (1) $1\dfrac{1}{20}$ (2) $1\dfrac{1}{35}$ **3**-2 (1) $\dfrac{4}{15}$ (2) $\dfrac{15}{16}$

4-1 $2\dfrac{10}{11}$ **4**-2 $\dfrac{7}{18}$

3-1 (1) $\dfrac{7}{10} \div \dfrac{2}{3} = \dfrac{7}{10} \times \dfrac{3}{2} = \dfrac{21}{20} = 1\dfrac{1}{20}$

(2) $\dfrac{4}{5} \div \dfrac{7}{9} = \dfrac{4}{5} \times \dfrac{9}{7} = \dfrac{36}{35} = 1\dfrac{1}{35}$

3-2 (1) $\dfrac{1}{6} \div \dfrac{5}{8} = \dfrac{1}{\underset{3}{6}} \times \dfrac{\overset{4}{8}}{5} = \dfrac{4}{15}$

(2) $\dfrac{5}{12} \div \dfrac{4}{9} = \dfrac{5}{\underset{4}{12}} \times \dfrac{\overset{3}{9}}{4} = \dfrac{15}{16}$

1-1 $12 \div \dfrac{3}{7} = (12 \div 3) \times 7 = 28$

1-2 $15 \div \dfrac{5}{8} = (15 \div 5) \times 8 = 24$

3-1 $\dfrac{3}{4} \div \dfrac{7}{9} = \dfrac{3}{4} \times \dfrac{9}{7}$, $\dfrac{4}{7} \div \dfrac{2}{5} = \dfrac{4}{7} \times \dfrac{5}{2}$

3-2 $\dfrac{7}{9} \div \dfrac{1}{3} = \dfrac{7}{9} \times 3$, $\dfrac{3}{10} \div \dfrac{5}{8} = \dfrac{3}{10} \times \dfrac{8}{5}$

4-1 $16 \div \dfrac{2}{7} = (16 \div 2) \times 7 = 56$

$14 \div \dfrac{2}{9} = (14 \div 2) \times 9 = 63$

➡ $56 < 63$

4-2 ㉠ $8 \div \dfrac{4}{11} = (8 \div 4) \times 11 = 22$

㉡ $6 \div \dfrac{2}{7} = (6 \div 2) \times 7 = 21$

➡ ㉠ $22 >$ ㉡ 21

$\boxed{연산}$ $8 \div \dfrac{4}{7} = (8 \div 4) \times 7 = 2 \times 7 = 14$

5-2 (사과의 무게)÷(바나나의 무게)

$= \dfrac{5}{7} \div \dfrac{3}{5} = \dfrac{5}{7} \times \dfrac{5}{3} = \dfrac{25}{21} = 1\dfrac{4}{21}$ (배)

5-3 (가로)=(식사각형의 넓이)÷(세로)

$= \dfrac{11}{12} \div \dfrac{4}{5} = \dfrac{11}{12} \times \dfrac{5}{4} = \dfrac{55}{48} = 1\dfrac{7}{48}$ (m)

27쪽 **개념 · 원리 확인**

1-1 (왼쪽부터) 5, 40, 13, 1

1-2 $\dfrac{7}{4}$, $\dfrac{63}{4}$, $15\dfrac{3}{4}$

2-1 12, 12, 5, $\dfrac{12}{5}$, $2\dfrac{2}{5}$

2-2 55, 24, 55, 24, $\dfrac{55}{24}$, $2\dfrac{7}{24}$

3-1 $\dfrac{3}{2}$, $\dfrac{21}{10}$, $2\dfrac{1}{10}$ **3-2** $\dfrac{6}{5}$, 12, $1\dfrac{5}{7}$

4-1 (1) 32 (2) $2\dfrac{11}{12}$ **4-2** (1) 27 (2) $1\dfrac{5}{11}$

2-1 $\dfrac{4}{3} \div \dfrac{5}{9} = \dfrac{12}{9} \div \dfrac{5}{9} = 12 \div 5 = \dfrac{12}{5} = 2\dfrac{2}{5}$

2-2 $\dfrac{11}{8} \div \dfrac{3}{5} = \dfrac{55}{40} \div \dfrac{24}{40} = 55 \div 24 = \dfrac{55}{24} = 2\dfrac{7}{24}$

3-1 $\dfrac{7}{5} \div \dfrac{2}{3} = \dfrac{7}{5} \times \dfrac{3}{2} = \dfrac{21}{10} = 2\dfrac{1}{10}$

3-2 $\dfrac{10}{7} \div \dfrac{5}{6} = \dfrac{\overset{2}{10}}{7} \times \dfrac{6}{\underset{1}{5}} = \dfrac{12}{7} = 1\dfrac{5}{7}$

4-1 (1) $12 \div \dfrac{3}{8} = 12 \times \dfrac{8}{\underset{1}{3}} = 32$

(2) $\dfrac{7}{6} \div \dfrac{2}{5} = \dfrac{7}{6} \times \dfrac{5}{2} = \dfrac{35}{12} = 2\dfrac{11}{12}$

4-2 (1) $15 \div \dfrac{5}{9} = 15 \times \dfrac{9}{\underset{1}{5}} = 27$

---

(2) $\dfrac{12}{11} \div \dfrac{3}{4} = \dfrac{12}{11} \times \dfrac{4}{\underset{1}{3}} = \dfrac{16}{11} = 1\dfrac{5}{11}$

29쪽 **개념 · 원리 확인**

1-1 6, 24, 15, 24, 8, $1\dfrac{3}{5}$

1-2 5, 35, 6, 35, 6, $\dfrac{35}{6}$, $5\dfrac{5}{6}$

2-1 8, 8, $\dfrac{5}{4}$, 10, $3\dfrac{1}{3}$

2-2 12, 12, $\dfrac{9}{7}$, $\dfrac{108}{49}$, $2\dfrac{10}{49}$

3-1 (1) $2\dfrac{16}{27}$ (2) $4\dfrac{4}{5}$ **3-2** (1) 6 (2) $6\dfrac{1}{14}$

4-1 $3\dfrac{7}{16}$ **4-2** $6\dfrac{3}{7}$

1-1 $1\dfrac{1}{5} \div \dfrac{3}{4} = \dfrac{6}{5} \div \dfrac{3}{4} = \dfrac{24}{20} \div \dfrac{15}{20}$

$= 24 \div 15 = \dfrac{\overset{8}{24}}{\underset{5}{15}} = \dfrac{8}{5} = 1\dfrac{3}{5}$

2-1 $2\dfrac{2}{3} \div \dfrac{4}{5} = \dfrac{8}{3} \div \dfrac{4}{5} = \dfrac{\overset{2}{8}}{3} \times \dfrac{5}{\underset{1}{4}} = \dfrac{10}{3} = 3\dfrac{1}{3}$

3-1 (1) $2\dfrac{2}{9} \div \dfrac{6}{7} = \dfrac{20}{9} \div \dfrac{6}{7} = \dfrac{\overset{10}{20}}{9} \times \dfrac{7}{\underset{3}{6}} = \dfrac{70}{27} = 2\dfrac{16}{27}$

(2) $1\dfrac{3}{5} \div \dfrac{1}{3} = \dfrac{8}{5} \div \dfrac{1}{3} = \dfrac{8}{5} \times 3 = \dfrac{24}{5} = 4\dfrac{4}{5}$

3-2 (1) $1\dfrac{1}{2} \div \dfrac{1}{4} = \dfrac{3}{2} \div \dfrac{1}{4} = \dfrac{3}{\underset{1}{2}} \times \overset{2}{4} = 6$

(2) $2\dfrac{3}{7} \div \dfrac{2}{5} = \dfrac{17}{7} \div \dfrac{2}{5} = \dfrac{17}{7} \times \dfrac{5}{2} = \dfrac{85}{14} = 6\dfrac{1}{14}$

4-1 $1\dfrac{3}{8} \div \dfrac{2}{5} = \dfrac{11}{8} \div \dfrac{2}{5} = \dfrac{11}{8} \times \dfrac{5}{2} = \dfrac{55}{16} = 3\dfrac{7}{16}$

4-2 $2\dfrac{6}{7} \div \dfrac{4}{9} = \dfrac{20}{7} \div \dfrac{4}{9} = \dfrac{\overset{5}{20}}{7} \times \dfrac{9}{\underset{1}{4}} = \dfrac{45}{7} = 6\dfrac{3}{7}$

정답 및 풀이

30~31쪽   기초 집중 연습

1-1 14   **1-2** $14\frac{2}{5}$

2-1 $\dfrac{11}{9} \div \dfrac{3}{4} = \dfrac{11}{9} \times \dfrac{4}{3} = \dfrac{44}{27} = 1\dfrac{17}{27}$

2-2 $\dfrac{16}{3} \div \dfrac{4}{5} = \dfrac{16}{3} \times \dfrac{5}{\overset{1}{4}} = \dfrac{20}{3} = 6\dfrac{2}{3}$

3-1 12   **3-2** $1\dfrac{1}{2}$

4-1 $1\dfrac{5}{9} \div \dfrac{5}{7} = \dfrac{14}{9} \div \dfrac{5}{7} = \dfrac{14}{9} \times \dfrac{7}{5} = \dfrac{98}{45} = 2\dfrac{8}{45}$

4-2 $\dfrac{8}{5} \div \dfrac{2}{9} = \dfrac{8}{5} \times \dfrac{9}{\underset{1}{2}} = \dfrac{36}{5} = 7\dfrac{1}{5}$

연산 4   **5-1** $3\dfrac{2}{3} \div \dfrac{11}{12} = 4$, 4개

5-2 $2 \div \dfrac{2}{5} = 5$, 5일

5-3 $8\dfrac{2}{3} \div 4\dfrac{1}{2} = 1\dfrac{25}{27}$, $1\dfrac{25}{27}$ cm

---

1-1 $4 \div \dfrac{2}{7} = \overset{2}{4} \times \dfrac{7}{\underset{1}{2}} = 14$

1-2 $9 \div \dfrac{5}{8} = 9 \times \dfrac{8}{5} = \dfrac{72}{5} = 14\dfrac{2}{5}$

2-1 나누는 수의 분모와 분자를 바꾸어 곱합니다.

3-1 자연수: 10, 진분수: $\dfrac{5}{6}$

➡ $10 \div \dfrac{5}{6} = \overset{2}{10} \times \dfrac{6}{\underset{1}{5}} = 12$

3-2 대분수: $1\dfrac{3}{8}$, 진분수: $\dfrac{11}{12}$

➡ $1\dfrac{3}{8} \div \dfrac{11}{12} = \dfrac{11}{8} \div \dfrac{11}{12} = \dfrac{\overset{1}{11}}{\underset{2}{8}} \times \dfrac{\overset{3}{12}}{\underset{1}{11}} = \dfrac{3}{2} = 1\dfrac{1}{2}$

4-1 대분수를 가분수로 나타내어 계산하지 않았습니다.

4-2 나눗셈을 곱셈으로 나타낼 때 나누는 수의 분모와 분자를 바꾸지 않고 계산했습니다.

연산 $3\dfrac{2}{3} \div \dfrac{11}{12} = \dfrac{11}{3} \div \dfrac{11}{12} = \dfrac{\overset{1}{11}}{\underset{1}{3}} \times \dfrac{\overset{4}{12}}{\underset{1}{11}} = 4$

5-1 (전체 수정과의 양)÷(한 병에 담는 수정과의 양)

$= 3\dfrac{2}{3} \div \dfrac{11}{12} = 4$(개)

> **참고**
> '똑같이 나누어 담으려고' ➡ 나눗셈 이용

5-2 (전체 보리의 무게)÷(하루에 먹는 보리의 무게)

$= 2 \div \dfrac{2}{5} = \overset{1}{2} \times \dfrac{5}{\underset{1}{2}} = 5$(일)

5-3 (평행사변형의 높이)=(넓이)÷(밑변의 길이)

$= 8\dfrac{2}{3} \div 4\dfrac{1}{2} = \dfrac{26}{3} \div \dfrac{9}{2}$

$= \dfrac{26}{3} \times \dfrac{2}{9}$

$= \dfrac{52}{27} = 1\dfrac{25}{27}$ (cm)

33쪽   개념·원리 확인

1-1 (위에서부터) 10, 108, 9, 12, 12

1-2 (위에서부터) 100, 221, 13, 17, 17

2-1 (위에서부터) 174, 6, 174, 6, 29

2-2 (위에서부터) 148, 4, 148, 4, 37

3-1 (1) 34   (2) 49   **3-2** (1) 62   (2) 36

1-1 나누는 수와 나누어지는 수에 똑같이 10배를 하여 자연수의 나눗셈으로 계산합니다.

1-2 나누는 수와 나누어지는 수에 똑같이 100배를 하여 자연수의 나눗셈으로 계산합니다.

2-1 1 cm=10 mm

2-2 1 m=100 cm

3-1 (1) $23.8 \div 0.7 = 238 \div 7 = 34$
     (2) $2.45 \div 0.05 = 245 \div 5 = 49$

3-2 (1) $55.8 \div 0.9 = 558 \div 9 = 62$
     (2) $9.36 \div 0.26 = 936 \div 26 = 36$

개념·원리 확인

1-1 36, 4, 36, 4, 9   **1-2** 96, 12, 96, 12, 8

2-1 (위에서부터) 6, 54   **2-2** (위에서부터) 3, 81

3-1 $5.6 \div 0.7 = \dfrac{56}{10} \div \dfrac{7}{10} = 56 \div 7 = 8$

3-2 (1) $4.8 \div 0.6 = \dfrac{48}{10} \div \dfrac{6}{10} = 48 \div 6 = 8$

    (2) $20.7 \div 2.3 = \dfrac{207}{10} \div \dfrac{23}{10} = 207 \div 23 = 9$

4-1 (1) 7   (2) 28   **4-2** (1) 47   (2) 21

1-1 소수 한 자리 수끼리의 나눗셈은 분모가 10인 분수의 나눗셈으로 계산할 수 있습니다.

1-2 소수 한 자리 수끼리의 나눗셈은 분모가 10인 분수의 나눗셈으로 계산할 수 있습니다.

4-1 (1)
```
          7
 6.5) 4 5.5
      4 5 5
          0
```

(2)
```
        2 8
 1.3) 3 6.4
      2 6
      1 0 4
      1 0 4
          0
```

4-2 (1)
```
        4 7
 0.8) 3 7.6
      3 2
        5 6
        5 6
          0
```

(2)
```
        2 1
 1.7) 3 5.7
      3 4
        1 7
        1 7
          0
```

기초 집중 연습

1-1 14   **1-2** 37

2-1 ㉡   **2-2** 민호

3-1
```
        1 7
 1.4) 2 3.8
      1 4
        9 8
        9 8
          0
```

3-2
```
        1 3
 0.6) 7.8
      6
      1 8
      1 8
        0
```

4-1 >   **4-2** ㉠

연산 12   **5-1** $10.8 \div 0.9 = 12$, 12개

5-2 $24.7 \div 1.9 = 13$, 13상자

5-3 $54.4 \div 3.4 = 16$, 16도막

1-1
```
          1 4
 2.8) 3 9.2
      2 8
      1 1 2
      1 1 2
          0
```

1-2
```
        3 7
 0.7) 2 5.9
      2 1
        4 9
        4 9
          0
```

2-1 $54.4 = \dfrac{544}{10}$ 또는 $54.4 = \dfrac{5440}{100}$

2-2 $45.6 = \dfrac{456}{10}$ 또는 $45.6 = \dfrac{4560}{100}$

3-1 소수점을 옮겨서 계산한 경우 몫의 소수점은 옮긴 소수점의 위치에 찍어야 합니다.

3-2 소수점을 옮겨서 계산한 경우 몫의 소수점은 옮긴 소수점의 위치에 찍어야 합니다.

4-1 $8.5 \div 0.5 = 17$

    $15.6 \div 1.2 = 13$

  ➡ $17 > 13$

4-2 ㉠ $11.2 \div 0.4 = 28$

    ㉡ $43.5 \div 1.5 = 29$

  ➡ ㉠ $28 <$ ㉡ 29

연산
```
        1 2
 0.9) 1 0.8
      9
        1 8
        1 8
          0
```

5-1 (전체 물의 양)÷(물통 한 개에 담는 물의 양)

    $= 10.8 \div 0.9 = 12$(개)

5-2 (전체 딸기의 무게)÷(한 상자에 담는 딸기의 무게)

    $= 24.7 \div 1.9 = 13$(상자)

5-3 (전체 털실의 길이)÷(털실 한 도막의 길이)

    $= 54.4 \div 3.4 = 16$(도막)

정답 및 풀이

1 (   )(◯)   **2** 32, 8, 32, 8, 4

3 $1\dfrac{5}{16}$ **4** 20

5 3 m

6 $\dfrac{2}{5}÷\dfrac{5}{7}=\dfrac{14}{35}÷\dfrac{25}{35}=14÷25=\dfrac{14}{25}$

7

8 $4÷\dfrac{4}{5}=5$, 5일   **9** >

10 10개

1 나누는 수의 분모와 분자를 바꾼 다음 나눗셈을 곱셈으로 나타냅니다.

2 소수 한 자리 수끼리의 나눗셈은 분모가 10인 분수의 나눗셈으로 계산할 수 있습니다.

3 $\dfrac{3}{8}÷\dfrac{2}{7}=\dfrac{3}{8}×\dfrac{7}{2}=\dfrac{21}{16}=1\dfrac{5}{16}$

4 $12÷\dfrac{3}{5}=\overset{4}{12}×\dfrac{5}{\underset{1}{3}}=20$

5 (세로)=(직사각형의 넓이)÷(가로)
$=13.5÷4.5=3$ (m)

6 분모가 다른 (진분수)÷(진분수)에서 분모를 통분하여 계산하는 방법입니다.

7 $\dfrac{3}{7}÷\dfrac{1}{7}=3÷1=3$, $\dfrac{8}{9}÷\dfrac{2}{9}=8÷2=4$

8 (전체 물의 양)÷(하루에 마시는 물의 양)
$=4÷\dfrac{4}{5}=\overset{1}{4}×\dfrac{5}{\underset{1}{4}}=5$(일)

9 $\dfrac{5}{8}÷\dfrac{1}{2}=\dfrac{5}{\underset{4}{8}}×\overset{1}{2}=\dfrac{5}{4}=1\dfrac{1}{4}$

$\dfrac{7}{12}÷\dfrac{3}{4}=\dfrac{7}{\underset{3}{12}}×\dfrac{\overset{1}{4}}{3}=\dfrac{7}{9}$

➡ $1\dfrac{1}{4}>\dfrac{7}{9}$

10 (전체 철사의 길이)
÷(별 모양을 1개 만드는 데 필요한 철사의 길이)
$=7\dfrac{1}{2}÷\dfrac{3}{4}=\dfrac{15}{2}÷\dfrac{3}{4}=\dfrac{\overset{5}{15}}{\underset{1}{2}}×\dfrac{\overset{2}{4}}{\underset{1}{3}}=10$(개)

창의1

	유리	지아	지훈
찾은 물건	곰인형	케이크	동화책

/

$\dfrac{1}{3}$배

창의2 $2\dfrac{1}{5}$, $4\dfrac{1}{2}$, $\dfrac{22}{45}$

코딩3 8.4, 0.6, 14

창의4 예

융합5 $5\dfrac{3}{5}$배   **코딩6** $\dfrac{32}{81}$

창의7 8개   **융합8** $\dfrac{25}{28}$배

융합9 27개   **코딩10** 9, 3 / 3

창의1 지아는 케이크를 찾았으므로 남은 물건은 곰인형과 동화책입니다.
유리는 동화책을 찾지 않았으므로 곰인형을 찾았고, 지훈이는 곰인형을 찾지 않았으므로 동화책을 찾았습니다.

유리: 곰인형 $\dfrac{1}{5}$ kg, 지아: 케이크 $\dfrac{3}{4}$ kg,

지훈: 동화책 $\dfrac{3}{5}$ kg

➡ $\dfrac{1}{5}÷\dfrac{3}{5}=1÷3=\dfrac{1}{3}$(배)

창의2 낱말 카드를 문장이 되도록 배열하면 '어린이가 세상을 바꾼다'입니다.

➡ $2\dfrac{1}{5}÷4\dfrac{1}{2}=\dfrac{11}{5}÷\dfrac{9}{2}=\dfrac{11}{5}×\dfrac{2}{9}=\dfrac{22}{45}$

코딩3 $A÷B=8.4÷0.6=14$

상의4 (전체 우유의 양)÷(컵 한 개에 담을 수 있는 우유의 양)

$=2÷\dfrac{1}{5}=2×5=10$(개)

융합5 (공원까지의 거리)÷(도서관까지의 거리)

$=2\dfrac{4}{5}÷\dfrac{1}{2}=\dfrac{14}{5}÷\dfrac{1}{2}=\dfrac{14}{5}×2=\dfrac{28}{5}$

$=5\dfrac{3}{5}$(배)

코딩6 [1번 반복] $\dfrac{8}{9}÷\dfrac{3}{2}=\dfrac{8}{9}×\dfrac{2}{3}=\dfrac{16}{27}$

[2번 반복] $\dfrac{16}{27}÷\dfrac{3}{2}=\dfrac{16}{27}×\dfrac{2}{3}=\dfrac{32}{81}$

창의7 (전체 리본의 길이)

÷(상자 한 개를 묶는 데 필요한 리본의 길이)

$=5÷\dfrac{3}{5}=5×\dfrac{5}{3}=\dfrac{25}{3}=8\dfrac{1}{3}$

➡ 상자를 8개까지 묶을 수 있습니다.

융합8 (오이를 심은 넓이)÷(고추를 심은 넓이)

$=7\dfrac{1}{2}÷8\dfrac{2}{5}=\dfrac{15}{2}÷\dfrac{42}{5}=\dfrac{\overset{5}{15}}{2}×\dfrac{5}{\underset{14}{42}}$

$=\dfrac{25}{28}$(배)

창의9 (기둥의 수)=(간격의 수)

=(울타리의 둘레)÷(간격의 길이)

$=75.6÷2.8=27$(개)

코딩10 $\dfrac{9}{11}÷\dfrac{3}{11}$은 분모가 같은 분수의 나눗셈이므로 분자끼리 나눕니다.

$\dfrac{9}{11}÷\dfrac{3}{11}=9÷3=3$의 과정으로 계산됩니다.

따라서 A=9, B=3이고, 출력된 값은 3입니다.

✷ 개념 ○✕ 퀴즈 정답

[퀴즈 1] ○ ✕

[퀴즈 2] ○ ✕

2주 소수의 나눗셈 / 공간과 입체

✷ 개념 ○✕ 퀴즈

옳으면 ○에, 틀리면 ✕에 ○표 하세요.

[퀴즈 1]

6.48÷1.62=0.04

○   ✕

[퀴즈 2]

쌓기나무를 위에서 본 모양은 쌓기나무가 바닥에 닿는 면의 모양과 같습니다.

○   ✕

정답은 16쪽에서 확인하세요.

정답
풀이

48~49쪽   2주에는 무엇을 공부할까? ②

1-1 5개   **1-2** 5개

2-1 (　)(○)(　)   **2-2** (　)(　)(○)

3-1 (1) 2.3 (2) 1.8   **3-2** (1) 1.05 (2) 3.05

4-1 (1) ＞ (2) ＜

4-2 (1) (○)(　) (2) (○)(　)

1-1 1층에 5개를 놓은 모양입니다. ➡ 5개

1-2 1층에 4개를 놓고, 2층에 1개를 놓은 모양입니다.
➡ 4+1=5(개)

2-1 쌓기나무의 전체적인 모양, 이용한 쌓기나무의 수, 쌓기나무를 놓은 위치나 방향을 생각합니다.

정답 및 풀이 ● **9**

3-1 (1)
```
        2.3
   2 ) 4.6
       4
       6
       6
       0
```
(2)
```
        1.8
   2 ) 3.6
       2
       1 6
       1 6
       0
```

3-2 (1)
```
        1.0 5
   5 ) 5.2 5
       5
       2 5
       2 5
       0
```
(2)
```
        3.0 5
   4 ) 1 2.2
       1 2
         2 0
         2 0
         0
```

4-1 (1) $4.05 \div 5 = 0.81 \Rightarrow 0.81 > 0.7$
(2) $1.56 \div 4 = 0.39 \Rightarrow 0.39 < 0.4$

4-2 (1) $26.4 \div 2 = 13.2$, $33.6 \div 3 = 11.2$
$\Rightarrow 13.2 > 11.2$
(2) $18.5 \div 2 = 9.25$, $37.5 \div 5 = 7.5$
$\Rightarrow 9.25 > 7.5$

51쪽	개념 · 원리 확인

1-1 47, 47, 3   **1-2** 59, 59, 4

2-1 (위에서부터) 12, 29, 58, 58

2-2 (위에서부터) 23, 50, 75, 75

3-1 (1) 6 (2) 22   **3-2** (1) 23 (2) 4

4-1 5   **4-2** 7

1-1 소수 두 자리 수를 분모가 100인 분수로 고쳐서 계산합니다.

3-1 (1)
```
             6
   0.72) 4.32
         4 3 2
             0
```
(2)
```
              2 2
   0.63) 1 3.8 6
         1 2 6
           1 2 6
           1 2 6
               0
```

3-2 (1)
```
              2 3
   0.94) 2 1.6 2
         1 8 8
           2 8 2
           2 8 2
               0
```
(2)
```
             4
   1.37) 5.4 8
         5 4 8
             0
```

4-1 (1)
```
          5
   1.63) 8.1 5
         8 1 5
             0
```
4-2 (2)
```
              7
   1.93) 1 3.5 1
         1 3 5 1
               0
```

53쪽	개념 · 원리 확인

1-1 ( )(○)   **1-2** (○)( )

2-1 2.1 / 2.1, 710, 710

2-2 2.1 / 2.1, 71, 71

3-1 (1) 2.6 (2) 4.4   **3-2** (1) 1.5 (2) 4.7

4-1 5.1   **4-2** 7.4

1-1 나누는 수와 나누어지는 수의 소수점을 똑같이 한 자리씩 또는 두 자리씩 옮깁니다.

2-1 나누는 수와 나누어지는 수를 각각 100배씩 하여 계산합니다.

2-2 나누는 수와 나누어지는 수를 각각 10배씩 하여 계산합니다.

3-1 (1)
```
            2.6
   1.6) 4.1 6
        3 2
          9 6
          9 6
          0
```
(2)
```
              4.4
   3.3) 1 4.5 2
        1 3 2
          1 3 2
          1 3 2
          0
```

3-2 (1)
```
            1.5
   5.3) 7.9 5
        5 3
        2 6 5
        2 6 5
        0
```
(2)
```
            4.7
   6.2) 2 9.1 4
        2 4 8
          4 3 4
          4 3 4
          0
```

4-1
```
            5.1
   3.6) 1 8.3 6
        1 8 0
            3 6
            3 6
            0
```
4-2
```
            7.4
   5.4) 3 9.9 6
        3 7 8
          2 1 6
          2 1 6
          0
```

54~55쪽	기초 집중 연습

1-1 (1) 12 (2) 5　　**1-2** (1) 1.4 (2) 3.9
2-1 225, 7　　　　　**2-2** 5, 4.5
3-1 6　　　　　　　**3-2** 5.5
4-1 >　　　　　　　**4-2** ㉠
연산 4
5-1 1.36÷0.34=4, 4배
5-2 4.06÷2.9=1.4, 1.4배
5-3 4.93÷2.9=1.7, 1.7배

1-1 (1)
```
        1 2
0.77)9.2 4
      7 7
      1 5 4
      1 5 4
          0
```
(2)
```
        5
0.25)1.2 5
     1 2 5
         0
```

1-2 (1)
```
        1.4
4.3)6.0 2
    4 3
    1 7 2
    1 7 2
        0
```
(2)
```
        3.9
2.4)9.3 6
    7 2
    2 1 6
    2 1 6
        0
```

2-1 15.75와 2.25에 각각 100배씩 하여 1575÷225로 계산합니다.

2-2 2.25와 0.5에 각각 10배씩 하여 22.5÷5로 계산합니다.

3-1 1.37<8.22 ➡ 8.22÷1.37=6

3-2 54.45>9.9 ➡ 54.45÷9.9=5.5

4-1 4.08÷0.34=12 ➡ 12>10

4-2 ㉠ 3.52÷2.2=1.6　　㉡ 6.44÷4.6=1.4
➡ ㉠ 1.6>㉡ 1.4

5-1 (빨간색 끈의 길이)÷(노란색 끈의 길이)
=1.36÷0.34=4(배)

5-2 (강아지의 무게)÷(고양이의 무게)
=4.06÷2.9=1.4(배)

5-3 (집~도서관)÷(집~학교)
=4.93÷2.9=1.7(배)

57쪽	개념 · 원리 확인

1-1 15, 15, 6　　　　**1-2** 84, 84, 5
2-1 (위에서부터) 15, 44, 220, 220
2-2 (위에서부터) 25, 56, 140, 140
3-1 (1) 85 (2) 24　　**3-2** (1) 15 (2) 15
4-1 5　　　　　　　**4-2** 12

1-1 분모가 10인 분수로 고쳐서 계산합니다.

3-1 (1)
```
       8 5
0.4)3 4.0
    3 2
      2 0
      2 0
        0
```
(2)
```
       2 4
2.5)6 0.0
    5 0
    1 0 0
    1 0 0
        0
```

3-2 (1)
```
       1 5
1.2)1 8.0
    1 2
      6 0
      6 0
        0
```
(2)
```
       1 5
1.6)2 4.0
    1 6
      8 0
      8 0
        0
```

4-1
```
          5
3.8)1 9.0
    1 9 0
        0
```
4-2
```
        1 2
3.5)4 2.0
    3 5
      7 0
      7 0
        0
```

59쪽	개념 · 원리 확인

1-1 800, 800, 32　　**1-2** 15, 15, 80
2-1 (위에서부터) 25, 56, 140, 140
2-2 (위에서부터) 12, 125, 250, 250
3-1 (1) 25 (2) 4　　**3-2** (1) 25 (2) 50
4-1 50　　　　　　**4-2** 24

3-1 (1)
```
          2 5
2.44)6 1.0 0
     4 8 8
     1 2 2 0
     1 2 2 0
           0
```
(2)
```
          4
2.25)9.0 0
     9 0 0
         0
```

정답

풀이

정답 및 풀이

3-2 (1)
```
            2 5
1.24)3 1.0 0
      2 4 8
        6 2 0
        6 2 0
            0
```

(2)
```
            5 0
3.14)1 5 7.0 0
      1 5 7 0
              0
```

4-1 $6 \div 0.12 = 50$

4-2 $66 \div 2.75 = 24$

60~61쪽	기초 집중 연습

1-1 (1) 20 (2) 40   **1-2** (1) 4 (2) 25

2-1 (위에서부터) 10, 8, 10

2-2 (위에서부터) 100, 12, 100

3-1 40, 400   **3-2** 30, 300

4-1 >   **4-2** ㉠

[연산] 4   **5-1** $10 \div 2.5 = 4$, 4봉지

5-2 $15 \div 3.75 = 4$, 4병   **5-3** (1) 8.4 cm (2) 15개

1-1 (1)
```
          2 0
2.1)4 2.0
    4 2
        0
```

(2)
```
        4 0
0.2)8.0
    8
      0
```

1-2 (1)
```
              4
4.25)1 7.0 0
      1 7 0 0
              0
```

(2)
```
              2 5
1.28)3 2.0 0
      2 5 6
        6 4 0
        6 4 0
            0
```

2-1 나누어지는 수와 나누는 수를 각각 10배씩 하면 계산 결과가 같습니다.

2-2 나누어지는 수와 나누는 수를 각각 100배씩 하면 계산 결과가 같습니다.

3-1 나누는 수가 $\frac{1}{10}$배, $\frac{1}{100}$배가 되면 몫은 10배, 100배가 됩니다.

3-2 나누어지는 수가 10배, 100배가 되면 몫도 10배, 100배가 됩니다.

4-1 $18 \div 0.3 = 60$ ➡ $60 > 6$

4-2 ㉠ $12 \div 0.48 = 25$ ㉡ $27 \div 2.25 = 12$

➡ ㉠ $25 > $ ㉡ 12

5-1 (전체 밀가루의 양)÷(한 봉지에 담을 밀가루의 양)
$= 10 \div 2.5 = 4$(봉지)

5-2 (전체 식혜의 양)÷(한 병에 담을 식혜의 양)
$= 15 \div 3.75 = 4$(병)

5-3 (1) (정삼각형의 한 변의 길이)×3
$= 2.8 \times 3 = 8.4$ (cm)

(2) (전체 철사의 길이)÷(정삼각형 한 개를 만드는 데 필요한 철사의 길이)
$= 126 \div 8.4 = 15$(개)

63쪽	개념 · 원리 확인

1-1 (1) 3, 8 (2) 3, 8.3   **1-2** (1) 3 (2) 2.7

2-1 (○)   **2-2** ( )
( )   (○)

3-1 5   **3-2** 5.6

1-1 (1) 소수 첫째 자리 숫자가 3이므로 버립니다.
8.3…… ➡ 8

(2) 소수 둘째 자리 숫자가 3이므로 버립니다.
8.33…… ➡ 8.3

1-2 (1) 소수 첫째 자리 숫자가 7이므로 올립니다.
2.7…… ➡ 3

(2) 소수 둘째 자리 숫자가 1이므로 버립니다.
2.71…… ➡ 2.7

2-1 $1.4 \div 6 = 0.23$…… ➡ 0.2
$4.1 \div 7 = 0.58$…… ➡ 0.6

2-2 $4 \div 11 = 0.363$…… ➡ 0.36
$8 \div 7 = 1.142$…… ➡ 1.14

3-1
```
        5.2
9)4 7.0
  4 5
    2 0
    1 8
      2
```
$47 \div 9 = 5.2$…… ➡ 5

12 ● 똑똑한 하루 수학

3-2

```
        5.5 7
  7 ) 3 9.0 0
      3 5
        4 0
        3 5
          5 0
          4 9
            1
```

$39 \div 7 = 5.57\cdots \Rightarrow 5.6$

1-1 4, 0.5	**1-2** 3, 2.3
2-1 0.5 / 4, 0.5	**2-2** 3, 2.3 / 3, 2.3
3-1 4, 1.4	**3-2** 9, 3.8

1-1 12.5에서 3을 4번 뺄 수 있으므로 4병에 나누어 담을 수 있고, 0.5가 남으므로 남는 참기름의 양은 0.5 L입니다.

1-2 14.3에서 4를 3번 뺄 수 있으므로 3봉지에 나누어 담을 수 있고, 2.3이 남으므로 남는 밀가루의 양은 2.3 kg입니다.

2-1
```
        4     ← 나누어 담을 수 있는 병의 수
  3 ) 1 2.5
      1 2
        0.5   ← 남는 참기름의 양
```

2-2
```
        3     ← 나누어 담을 수 있는 봉지 수
  4 ) 1 4.3
      1 2
        2.3   ← 남는 밀가루의 양
```

3-1
```
        4
  6 ) 2 5.4
      2 4
        1.4
```

3-2
```
        9
  4 ) 3 9.8
      3 6
        3.8
```

1-1 2.2	**1-2** 0.77
2-1 7, 3.1	**2-2** 5, 4.4
3-1 6	**3-2** 4.88
4-1 <	**4-2** >
연산 4, 0.3	**5-1** 4명, 0.3 m
5-2 5통, 1.8 L	**5-3** 6봉지, 1.9 kg

1-1 소수 둘째 자리 숫자가 5이므로 올립니다.
2.15…… ➡ 2.2

1-2 소수 셋째 자리 숫자가 1이므로 버립니다.
0.771…… ➡ 0.77

2-1
```
        7
  6 ) 4 5.1
      4 2
        3.1
```

2-2
```
        5
  5 ) 2 9.4
      2 5
        4.4
```

3-1 $45.3 \div 7 = 6.4\cdots \Rightarrow 6$

3-2 $29.3 \div 6 = 4.883\cdots \Rightarrow 4.88$

4-1 $16 \div 3 = 5.3\cdots$
몫을 반올림하여 일의 자리까지 나타낸 수:
5.3…… ➡ 5
따라서 계산 결과를 비교하면 5 < 5.3……입니다.

4-2 $16 \div 7 = 2.28\cdots$
몫을 반올림하여 소수 첫째 자리까지 나타낸 수:
2.28…… ➡ 2.3
따라서 계산 결과를 비교하면 2.3 > 2.28……입니다.

5-1
```
        4     ← 나누어 줄 수 있는 사람 수
  4 ) 1 6.3
      1 6
        0.3   ← 남는 리본의 길이
```

5-2
```
        5     ← 나누어 담을 수 있는 통의 수
  4 ) 2 1.8
      2 0
        1.8   ← 남는 페인트의 양
```

5-3
```
        6     ← 나누어 담을 수 있는 봉지 수
  3 ) 1 9.9
      1 8
        1.9   ← 남는 소금의 양
```

1-1 (1) (○)( ) (2) (○)( )	
1-2 (1) (○)( ) (2) ( )(○)	
2-1 (②)(③)	**2-2** (①)(②)(④)

정답

풀이

정답 및 풀이

1-1 ⑴ 가에서 보면 손잡이가 컵의 오른쪽에 있습니다.
⑵ 나에서 보면 손잡이가 보이지 않습니다.

2-1 작은 나무가 앞, 큰 나무가 뒤에 있으면 ②, 작은 나무가 오른쪽, 큰 나무가 왼쪽에 있으면 ③입니다.

2-2 ⬤의 오른쪽에 기둥이 보이면 ①, ⬤과 기둥이 겹쳐 보이면 ②, ⬤이 보이지 않으면 ④입니다.

71쪽	개념 · 원리 확인
1-1 ( )(○)	**1-2** (○)( )
2-1 (○)( )	**2-2** ( )(○)
3-1 7개	**3-2** 6개

1-1 1층의 쌓기나무가 위에서부터 1개, 3개가 연결되어 있는 모양입니다.

1-2 1층의 쌓기나무가 위에서부터 2개, 2개가 연결되어 있는 모양입니다.

2-1 왼쪽 모양: 1층의 쌓기나무가 위에서부터 3개, 2개가 연결되어 있는 모양입니다.
오른쪽 모양: 1층의 쌓기나무가 위에서부터 3개, 3개가 연결되어 있는 모양입니다.

2-2 왼쪽 모양: 1층의 쌓기나무가 위에서부터 1개, 2개, 1개가 연결되어 있는 모양입니다.
오른쪽 모양: 1층의 쌓기나무가 위에서부터 1개, 3개, 1개가 연결되어 있는 모양입니다.

3-1 1층이 4개, 2층이 3개이므로 주어진 모양과 똑같이 쌓는 데 필요한 쌓기나무는 7개입니다.

3-2 1층이 4개, 2층이 2개이므로 주어진 모양과 똑같이 쌓는 데 필요한 쌓기나무는 6개입니다.

72~73쪽	기초 집중 연습
1-1 ○	**1-2** ×
2-1 (①)(④)	**2-2** (④)(③)
3-1 나	**3-2** 나
기초 없습니다에 ○표	**4-1** 5개
4-2 9개	**4-3** 10개

1-1 쌓은 모양에서 보이는 위의 면들과 위에서 본 모양이 다르므로 숨겨진 쌓기나무가 있습니다.

1-2 쌓은 모양에서 보이는 위의 면들과 위에서 본 모양이 같으므로 숨겨진 쌓기나무가 없습니다.

2-1 컵의 색깔과 놓인 위치, 손잡이 방향을 살펴봅니다.

2-2 나무와 집의 위치, 지붕 색깔을 살펴봅니다.

3-1 위에서 내려다보면 사각형 안에 삼각형이 있는 것으로 보입니다.

3-2 위에서 내려다보면 사각형 안에 사각형이 있는 것으로 보입니다.

4-1 쌓은 모양과 위에서 본 모양을 비교하여 쌓기나무를 모두 세어 봅니다.
1층: 3개, 2층: 2개 ➡ 3+2=5(개)

4-2 1층: 6개, 2층: 3개 ➡ 6+3=9(개)

4-3 1층: 6개, 2층: 3개, 3층: 1개
➡ 6+3+1=10(개)

75쪽	개념 · 원리 확인
1-1 ( )(○)	**1-2** ( )(○)
2-1 (○)( )	**2-2** ( )(○)
3-1 앞 옆	**3-2** 앞 옆

1-1 앞에서 보았을 때 왼쪽에서부터 가장 높은 층을 알아보면 2층, 1층입니다.

1-2 앞에서 보았을 때 왼쪽에서부터 가장 높은 층을 알아보면 2층, 2층, 1층입니다.

2-1 옆에서 보았을 때 왼쪽에서부터 가장 높은 층을 알아보면 1층, 1층, 2층입니다.

2-2 옆에서 보았을 때 왼쪽에서부터 가장 높은 층을 알아보면 2층, 2층입니다.

3-1~3-2 위에서 본 모양을 보면 보이지 않는 부분에 쌓기나무가 없습니다.

14 똑똑한 하루 수학

개념·원리 확인

1-1 3, 2, 1, 2   **1-2** 2, 3, 1, 2

2-1 8개   **2-2** 8개

3-1
위
2	2
	1
↑
| 1 |
↑
앞

3-2
위
2	3
2	1
↑
앞

4-1 (○)( )   **4-2** ( )(○)

2-1 3+2+1+2=8(개)

2-2 2+3+1+2=8(개)

3-1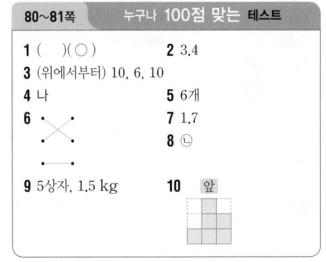
가 자리에 쌓은 쌓기나무는 ㉠에 2개, ㉡에 2개, ㉢에 1개, ㉣에 1개입니다.

3-2
각 자리에 쌓은 쌓기나무는 ㉠에 2개, ㉡에 3개, ㉢에 2개, ㉣에 1개입니다.

4-1 앞에서 보면 왼쪽에서부터 2층, 3층, 3층입니다.

4-2 앞에서 보면 왼쪽에서부터 2층, 3층, 1층입니다.

기초 집중 연습

1-1 옆

1-2 옆

2-1 ·—· ·—·

2-2 · · (×)

3-1 앞

3-2 앞

기초 앞 옆

4-1 나

4-2 다   **4-3** 나

2-1 앞에서 보면 왼쪽에서부터 2층, 2층으로 보이고, 옆에서 보면 왼쪽에서부터 1층, 2층으로 보입니다.

2-2 앞에서 보면 왼쪽에서부터 1층, 2층, 2층으로 보이고, 옆에서 보면 왼쪽에서부터 1층, 2층으로 보입니다.

3-1 앞에서 보면 왼쪽에서부터 2층, 3층, 1층으로 보입니다.

3-2 앞에서 보면 왼쪽에서부터 2층, 2층, 3층으로 보입니다.

기초 앞에서 보면 왼쪽에서부터 2층, 1층, 1층으로 보이고, 옆에서 보면 왼쪽에서부터 1층, 2층으로 보입니다.

4-1 가는 위에서 본 모양에 알맞지 않습니다.

4-2 가, 나는 앞에서 본 모양에 알맞지 않습니다.

4-3 가는 옆에서 본 모양에 알맞지 않습니다.
다는 앞, 옆에서 본 모양에 알맞지 않습니다.

누구나 100점 맞는 테스트

1 ( )(○)   **2** 3.4

3 (위에서부터) 10, 6, 10

4 나   **5** 6개

6 ✕   **7** 1.7

8 ㉡

9 5상자, 1.5 kg   **10**
앞

2
$$2.1\overline{)7.1\;4}\;\;\;\;\genfrac{}{}{0pt}{}{3.4}{}$$

```
          3. 4
   2,1 ) 7,1 4
          6 3
          8 4
          8 4
              0
```

3 나누어지는 수와 나누는 수를 각각 10배씩 하면 계산 결과가 같습니다.

4 손잡이가 보이는 빨간 컵이 왼쪽, 손잡이가 보이지 않는 하늘색 컵이 오른쪽에 있으므로 나입니다.

5 1층: 4개, 2층: 2개 ➡ $4+2=6$(개)

6 위에서 본 모양의 각 자리에 쌓인 쌓기나무의 개수를 세어 봅니다.

7 $12÷7=1.71……$ ➡ 1.7

8 ㉠ $24÷1.6=15$ ㉡ $43÷2.15=20$
➡ ㉠ $15 < $ ㉡ 20

9
$$
\begin{array}{r}
5 \quad \text{←나누어 담을 수 있는 상자 수}\\
5\overline{)2\ 6.5}\\
2\ 5\\
\hline
1.5 \quad \text{←남는 감자의 양}
\end{array}
$$

10 앞에서 보면 왼쪽에서부터 1층, 3층, 2층입니다.

82~87쪽 특강 | 창의·융합·코딩

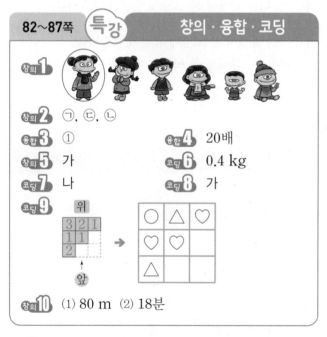

창의**1** (첫 번째 사람)

창의**2** ㉠, ㉢, ㉡

융합**3** ① 융합**4** 20배

창의**5** 가 코딩**6** 0.4 kg

코딩**7** 나 코딩**8** 가

코딩**9**
위
3	2	1
1	1	
2		
앞
➡
○	△	♡
♡	♡	
△		

창의**10** (1) 80 m (2) 18분

창의**1** $46.4÷11.6=4$(빨간색), $45.08÷9.8=4.6$(목도리)이므로 빨간색 목도리를 한 사람을 찾습니다.

창의**2** • 1층으로 쌓은 모양은 ㉡이므로 준서가 쌓은 모양은 ㉠과 ㉢ 중 하나입니다.

• 위에서 본 모양이 ◆ 모양이 아닌 것은 ㉠과 ㉡이므로 지후가 쌓은 모양은 ㉠과 ㉡ 중 하나입니다.

• 지후가 쌓은 모양은 ㉠과 ㉡ 중 하나인데 ㉠과 ㉡ 모양을 만드는 데 사용한 쌓기나무가 둘 다 4개이므로 리안이가 쌓은 모양은 6개로 쌓은 ㉢입니다.

따라서 준서 - ㉠, 리안 - ㉢, 지후 - ㉡입니다.

융합**3** 경회루를 바라보았을 때 [보기]와 같은 사진이 나오려면 ① 방향에서 찍어야 합니다.

융합**4** $30÷1.5=20$(배)

창의**5** 가: $1800÷1.5=1200$(원)
나: $4000÷2.5=1600$(원)
➡ 1200원<1600원이므로 1 kg당 가격이 더 저렴한 것은 가입니다.

코딩**6** $12.4-3=9.4>3$
$9.4-3=6.4>3$
$6.4-3=3.4>3$
$3.4-3=0.4<3$
➡ 0.4 kg이 출력됩니다.

코딩**7** 주어진 명령을 시행하였을 때 갖게 되는 쌓기나무는 모두 6개이므로 6개로 쌓은 모양을 찾습니다.
가는 5개, 나는 6개이므로 만들 수 있는 모양은 나입니다.

코딩**8** 주어진 명령을 시행하였을 때 갖게 되는 쌓기나무는 모두 7개이므로 7개로 쌓은 모양을 찾습니다.
가는 7개, 나는 6개이므로 만들 수 있는 모양은 가입니다.

코딩**9** 위에서 본 모양에 수 대신 쌓기나무가 3층으로 쌓여 있으면 ○, 2층으로 쌓여 있으면 △, 1층으로 쌓여 있으면 ♡로 나타내는 규칙입니다.

창의**10** (1) $20×4=80$ (m)
(2) $80÷4.5=17.7……$ ➡ 18이므로 밭의 둘레를 한 바퀴 도는 데 걸리는 시간을 반올림하여 일의 자리까지 나타내면 18분입니다.

※ 개념 ○✕ 퀴즈 정답

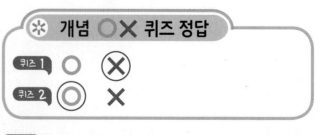

퀴즈**1** ○ ✕

퀴즈**2** ◎ ✕

퀴즈**1** $6.48÷1.62=4$

3주 · 공간과 입체 / 비례식과 비례배분 / 원의 넓이

✳ 개념 ○✕ 퀴즈

옳으면 ○에, 틀리면 ✕에 ○표 하세요.

퀴즈 1

$2:5=4:10$은 비례식입니다.

○   ✕

퀴즈 2

원주율은 원의 크기와 상관없이 일정합니다.

○   ✕

정답은 25쪽에서 확인하세요.

4-1 (1) $7:10 \Rightarrow 7 \div 10 = \dfrac{7}{10}$

(2) $14:4 \Rightarrow 14 \div 4 = \dfrac{14}{4} = \dfrac{7}{2}$

4-2 (1) $5:8 \Rightarrow 5 \div 8 = 0.625$

(2) $15:20 \Rightarrow 15 \div 20 = 0.75$

93쪽 개념 · 원리 확인

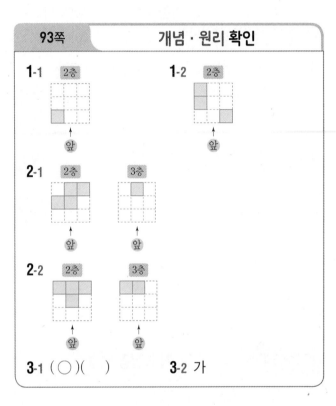

3-1 (○)( )   **3-2** 가

1-1~1-2 1층 모양에서 색칠한 부분 중 2층에 있는 것을 찾습니다.

3-1 오른쪽 모양은 2층 모양이 [ ]입니다.

3-2 나 모양은 2층 모양이 [ ]입니다.

90~91쪽 3주에는 무엇을 공부할까? ②

1-1 7, 7, 7, 2

1-2 (1) 9, 4 (2) 3, 8 (3) 11, 16

2-1 7, 12   **2-2** (1) 5, 8 (2) 1, 5

3-1 11, 5   **3-2** 18, 13

4-1 (1) $\dfrac{7}{10}$ (2) $\dfrac{14}{4}\left(=\dfrac{7}{2}\right)$

4-2 (1) 0.625 (2) 0.75

2-1 (색칠한 부분) : (전체) $= 7 : 12$

2-2 (1) (색칠한 부분) : (전체) $= 5 : 8$

(2) (색칠한 부분) : (전체) $= 1 : 5$

3-1 :
비교하는 양 기준량

95쪽 개념 · 원리 확인

1-1 (○)( )   **1-2** ( )(✕)( )

2-1 ( )(○)   **2-2** ( )(○)

3-1 (○)( )   **3-2** (✕)( )

1-1 오른쪽 모양은 쌓기나무 3개에 2개를 더 붙여서 만든 모양입니다.

1-2

2-1 뒤집거나 돌렸을 때 보기 와 같은 모양이 되는 것은 오른쪽 모양입니다.

2-2 뒤집거나 돌렸을 때 보기 와 같은 모양이 되는 것은 오른쪽 모양입니다.

3-1 두 가지 모양을 오른쪽과 같은 방법으로 연결합니다.

3-2 두 가지 모양을 오른쪽과 같은 방법으로 연결합니다.

1-1 1층에는 쌓기나무 4개가 와 같은 모양으로 있습니다.

1-2 인쪽 모양은 쌓기나무 3개에 2개를 더 붙여서 만든 모양입니다.

2-1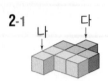
나   다

2-2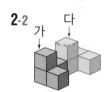
가   다

3-1 쌓은 모양을 뒤집거나 돌렸을 때 같은 모양인 것을 찾습니다.

3-2 쌓은 모양을 뒤집거나 돌렸을 때 같은 모양인 것을 찾습니다.

기초 위에서 본 모양과 1층 모양이 같습니다.

4-1 위에서 본 모양과 1층 모양이 같고 같은 위치에 색칠된 칸 수를 세어 봅니다.
➡ (필요한 쌓기나무의 개수)=5+4+2
　　　　　　　　　　　　=11(개)

4-2 위에서 본 모양과 1층 모양이 같고 같은 위치에 색칠된 칸 수를 세어 봅니다.
➡ (필요한 쌓기나무의 개수)=5+3+1
　　　　　　　　　　　　=9(개)

4-3 (필요한 쌓기나무의 개수)=5+3+1=9(개)
위에서 본 모양과 1층 모양이 같고 각 자리에 쌓은 쌓기나무의 개수는 다음과 같습니다.

앞에서 본 모양은 왼쪽부터 1층, 3층, 2층으로 그려야 합니다.

참고

쌓기나무를 앞과 옆에서 본 모양은 각 방향에서 가장 높은 층의 모양과 같습니다.

96~97쪽 　　기초 집중 연습

1-1 1층 ▨ 2층 ▨
　　　↑　　　↑
　　　앞　　　앞

1-2 (×)(　)

2-1 나, 다

2-2 가, 다

3-1 ╳(선 연결)

3-2 ╳(선 연결)

기초 위 ▨
　　　↑
　　　앞

4-1 위 / 11개
　　2
　3 3
　2 1
　　↑
　　앞

4-2 위 / 9개
　2 1
　2 3
　1
　　↑
　　앞

4-3 앞 / 9개

개념·원리 확인

1-1 (1) 2, 1 (2) 5, 4   **1-2** (1) 3, 5 (2) 9, 7
2-1 (위에서부터) 15, 3   **2-2** (위에서부터) 4, 28, 8
2-3 (위에서부터) 6, 8   **2-4** (위에서부터) 7, 6, 9
3-1 27 : 12에 ○표   **3-2** 2 : 7에 ○표

1-1 비에서 기호 ' : ' 앞에 있는 수를 전항, 뒤에 있는 수를 후항이라고 합니다.

(1) 2 : 1   (2) 5 : 4
　　전항 후항　　전항 후항

1-2 (1) 3 : 5   (2) 9 : 7
　　전항 후항　　전항 후항

2-1 비의 전항과 후항에 0이 아닌 같은 수를 곱하여도 비율은 같습니다.

2-2 비의 후항에 4를 곱했기 때문에 전항에도 4를 곱해야 합니다.

2-3 비의 전항과 후항을 0이 아닌 같은 수로 나누어도 비율은 같습니다.

2-4 비의 전항을 9로 나누었기 때문에 후항도 9로 나누어야 합니다.

3-1 $9 : 4 \xrightarrow{\times 3} 27 : 12$ (전항·후항 $\times 3$)

3-2 $16 : 56 \xrightarrow{\div 8} 2 : 7$ (전항·후항 $\div 8$)

개념·원리 확인

1-1 10, 6, 13   **1-2** 12, 9, 8
2-1 예 8 : 5   **2-2** 예 9 : 22
3-1 예 2 : 9   **3-2** 예 25 : 8
4-1 예 2 : 3   **4-2** 예 3 : 7

1-1 전항과 후항에 각각 10을 곱합니다.

1-2 전항과 후항에 각각 분모 4와 3의 최소공배수인 12를 곱합니다.

2-1 $0.8 : 0.5 \rightarrow (0.8 \times 10) : (0.5 \times 10)$
　　　　$\rightarrow 8 : 5$

2-2 $0.9 : 2.2 \rightarrow (0.9 \times 10) : (2.2 \times 10)$
　　　　$\rightarrow 9 : 22$

3-1 9와 2의 최소공배수: 18

$\dfrac{1}{9} : \dfrac{1}{2} \rightarrow \left(\dfrac{1}{9} \times 18\right) : \left(\dfrac{1}{2} \times 18\right)$
　　　$\rightarrow 2 : 9$

3-2 4와 5의 최소공배수: 20

$1\dfrac{1}{4} : \dfrac{2}{5} \rightarrow \dfrac{5}{4} : \dfrac{2}{5} \rightarrow \left(\dfrac{5}{4} \times 20\right) : \left(\dfrac{2}{5} \times 20\right)$
　　　　$\rightarrow 25 : 8$

4-1 $16 : 24 \rightarrow (16 \div 8) : (24 \div 8)$
　　　　$\rightarrow 2 : 3$

4-2 $27 : 63 \rightarrow (27 \div 9) : (63 \div 9)$
　　　　$\rightarrow 3 : 7$

기초 집중 연습

1-1 (위에서부터) (1) 36, 15, 3 (2) 8, 10, 3
1-2 (1) 9 (2) 120 (3) 35
2-1 ⑤   **2-2** 0
3-1 7, 4   **3-2** 0.4 / 예 4, 19
4-1 가   **4-2** 나
기초 예 17, 12   **5-1** 예 17 : 12
5-2 예 16 : 15   **5-3** 예 1 : 2

1-1 (1) 비의 전항에 3을 곱했기 때문에 후항에도 3을 곱해야 합니다.
　　(2) 비의 후항을 8로 나누었기 때문에 전항도 8로 나누어야 합니다.

1-2 (1) 전항과 후항에 각각 10을 곱합니다.
　　(2) 전항과 후항에 각각 100을 곱합니다.
　　(3) 전항과 후항에 각각 분모 7과 8의 최소공배수인 56을 곱합니다.

정답 풀이

2-1 비의 전항과 후항에 0이 아닌 같은 수를 곱해야 비율이 같은 비를 만들 수 있습니다.

> **주의**
>
> ■ : ▲의 전항과 후항에 0을 곱하면 0 : 0이 되므로 0을 곱할 수 없습니다.

2-2 비의 전항과 후항을 0이 아닌 같은 수로 나누어야 비율이 같은 비를 만들 수 있습니다.

> **주의**
>
> 어떤 수를 ▲로 나누는 것은 $\dfrac{1}{▲}$ 을 곱하는 것과 같습니다. 분모가 0인 분수는 없으므로 0으로 나눌 수 없습니다.

3-1 $0.7 : \dfrac{2}{15} \Rightarrow \dfrac{7}{10} : \dfrac{2}{15} \Rightarrow \left(\dfrac{7}{10} \times 30\right) : \left(\dfrac{2}{15} \times 30\right)$
$\Rightarrow 21 : 4$

3-2 $\dfrac{2}{5} : 1.9 \Rightarrow 0.4 : 1.9 \Rightarrow (0.4 \times 10) : (1.9 \times 10)$
$\Rightarrow 4 : 19$

4-1 • 가의 가로와 세로의 비
(가로) : (세로) $\Rightarrow 18 : 12 \Rightarrow (18 \div 6) : (12 \div 6)$
$\Rightarrow 3 : 2$

• 나의 가로와 세로의 비
(가로) : (세로) $\Rightarrow 20 : 14 \Rightarrow (20 \div 2) : (14 \div 2)$
$\Rightarrow 10 : 7$

따라서 가로와 세로의 비가 3 : 2인 직사각형은 가입니다.

4-2 • 가의 밑변의 길이와 높이의 비
(밑변) : (높이) $\Rightarrow 10 : 8 \Rightarrow (10 \div 2) : (8 \div 2)$
$\Rightarrow 5 : 4$

• 나의 밑변의 길이와 높이의 비
(밑변) : (높이) $\Rightarrow 12 : 9 \Rightarrow (12 \div 3) : (9 \div 3)$
$\Rightarrow 4 : 3$

따라서 밑변의 길이와 높이의 비가 4 : 3인 평행사변형은 나입니다.

기초 $1.7 : 1\dfrac{1}{5} \Rightarrow 1.7 : 1.2 \Rightarrow (1.7 \times 10) : (1.2 \times 10)$
$\Rightarrow 17 : 12$

> **다른 풀이**
>
> $1.7 : 1\dfrac{1}{5} \Rightarrow \dfrac{17}{10} : \dfrac{6}{5} \Rightarrow \left(\dfrac{17}{10} \times 10\right) : \left(\dfrac{6}{5} \times 10\right)$
> $\Rightarrow 17 : 12$

5-1 (탄산수) : (레몬즙) $\Rightarrow 1.7 : 1\dfrac{1}{5}$
$\Rightarrow 1.7 : 1.2$
$\Rightarrow (1.7 \times 10) : (1.2 \times 10)$
$\Rightarrow 17 : 12$

5-2 (태형) : (동생) $\Rightarrow 1.6 : 1\dfrac{1}{2}$
$\Rightarrow 1.6 : 1.5$
$\Rightarrow (1.6 \times 10) : (1.5 \times 10)$
$\Rightarrow 16 : 15$

5-3 (고양이) : (개) $\Rightarrow 1\dfrac{1}{4} : 2.5 \Rightarrow 1.25 : 2.5$
$\Rightarrow (1.25 \times 100) : (2.5 \times 100)$
$\Rightarrow 125 : 250$
$\Rightarrow (125 \div 125) : (250 \div 125)$
$\Rightarrow 1 : 2$

105쪽	**개념 · 원리 확인**

1-1 (1) ③ : ② = ⑨ : ⑥ (2) ⑦ : ⑤ = ㉘ : ⑳
1-2 5, 2 / 1, 10
2-1 2 / 6, 2 / 같습니다에 ○표
2-2 6 / 18, 6 / 같습니다에 ○표
3-1 (1) × (2) ○   **3-2** ㉠
4-1 15, 24   **4-2** 12, 9

1-1 (1) $3 : 2 = 9 : 6$
외항 / 내항

(2) $7 : 5 = 28 : 20$
외항 / 내항

> **참고**
>
> 비례식에서 바깥쪽에 있는 두 수를 외항, 안쪽에 있는 두 수를 내항이라고 합니다.

1-2 $5 : 1 = 10 : 2$
외항 / 내항

2-1 ● : ■의 비율 $\Rightarrow \dfrac{●}{■}$

3-1 비율이 같은 두 비를 기호 '='를 사용하여 나타낸 식을 비례식이라고 합니다.

(1) 7 : 4의 비율 ➡ $\frac{7}{4}$, 28 : 12의 비율 ➡ $\frac{28}{12}\left(=\frac{7}{3}\right)$

두 비의 비율이 같지 않으므로 비례식이 아닙니다.

(2) 3 : 6의 비율 ➡ $\frac{3}{6}\left(=\frac{1}{2}\right)$, 1 : 2의 비율 ➡ $\frac{1}{2}$

두 비의 비율이 같으므로 비례식입니다.

3-2 비율이 같은 두 비를 기호 '='를 사용하여 나타낸 식을 비례식이라고 합니다.

㉠ 1 : 14의 비율 ➡ $\frac{1}{14}$,

4 : 56의 비율 ➡ $\frac{4}{56}\left(=\frac{1}{14}\right)$

두 비의 비율이 같으므로 비례식입니다.

4-1 5 : 8의 비율 ➡ $\frac{5}{8}$이고,

16 : 20의 비율 ➡ $\frac{16}{20}\left(=\frac{4}{5}\right)$,

15 : 24의 비율 ➡ $\frac{15}{24}\left(=\frac{5}{8}\right)$

이므로 5 : 8=15 : 24로 세울 수 있습니다.

4-2 4 : 3의 비율 ➡ $\frac{4}{3}$이고,

12 : 9의 비율 ➡ $\frac{12}{9}\left(=\frac{4}{3}\right)$,

20 : 12의 비율 ➡ $\frac{20}{12}\left(=\frac{5}{3}\right)$

이므로 4 : 3=12 : 9로 세울 수 있습니다.

107쪽 **개념·원리 확인**

1-1 (1) 10, 40 / 5, 40 (2) 같습니다에 ○표
1-2 (1) 18, 18 (2) 같습니다.
2-1 54, 54 / ○   **2-2** 7, 7, 4, 8 / ×
3-1 240, 24   **3-2** 20, 180, 4

1-2 (1) • 외항은 18과 1이므로 외항의 곱은 18×1=18 입니다.

• 내항은 6과 3이므로 내항의 곱은 6×3=18 입니다.

(2) 외항의 곱과 내항의 곱은 모두 18이므로 비례식 에서 외항의 곱과 내항의 곱은 같습니다.

2-1 외항의 곱은 비례식의 바깥쪽에 있는 두 수의 곱이 고, 내항의 곱은 비례식의 안쪽에 있는 두 수의 곱 입니다.

(외항의 곱)=2×27=54, (내항의 곱)=9×6=54 외항의 곱과 내항의 곱이 같으므로 옳은 비례식입 니다.

2-2 외항의 곱과 내항의 곱이 다르므로 옳은 비례식이 아닙니다.

3-1 (외항의 곱)=(내항의 곱)이므로 ■×10=40×6, ■×10=240, ■=24입니다.

3-2 (외항의 곱)=(내항의 곱)이므로 9×20=●×45, ●×45=180, ●=4입니다.

108~109쪽 **기초 집중 연습**

1-1 (○)(   )   **1-2** ㉡
2-1 9, 24   **2-2** 예 20 : 36=5 : 9
3-1 11   **3-2** 12
기초 (1) 36 (2) 40   **4-1** 수현
4-2 준희   **4-3** 18

1-1 비율이 같은 두 비를 기호 '='를 사용하여 나타낸 식을 비례식이라고 합니다.

1-2 ㉠ (외항의 곱)=11×2=22,

(내항의 곱)=4×22=88

➡ 옳은 비례식이 아닙니다.

㉡ (외항의 곱)=10×15=150,

(내항의 곱)=3×50=150

➡ 옳은 비례식입니다.

2-1 비율이 같은 두 비로 비례식을 세울 수 있습니다.

$\frac{3}{8}$ ➡ 3 : 8, $\frac{9}{24}$ ➡ 9 : 24 ➡ 3 : 8=9 : 24

2-2 비율이 $\frac{20}{36}$인 비 ➡ 20 : 36 ⎤

비율이 $\frac{5}{9}$인 비 ➡ 5 : 9 ⎦ ➡ 20 : 36=5 : 9

참고

5 : 9=20 : 36으로 나타내도 정답입니다.

3-1 • 후항: 11, 33
• 내항: 11, 27
➡ 후항이면서 내항인 수는 11입니다.

3-2 • 전항: 12, 9
• 외항: 12, 6
➡ 전항이면서 외항인 수는 12입니다.

기초 (1) $4 : 9 = \square : 81$
➡ $4 \times 81 = 9 \times \square$, $9 \times \square = 324$, $\square = 36$
(2) $8 : 5 = 64 : \square$
➡ $8 \times \square = 5 \times 64$, $8 \times \square = 320$, $\square = 40$

4-1 민호: $\square = 36$, 수현: $\square = 40$
➡ $\square$ 안에 알맞은 수가 40인 비례식을 말한 사람은 수현입니다.

4-2 [준희] $0.9 : 1.2 = \square : 4$
➡ $0.9 \times 4 = 1.2 \times \square$, $1.2 \times \square = 3.6$, $\square = 3$
[우석] $\dfrac{2}{5} : \dfrac{3}{7} = 14 : \square$
➡ $\dfrac{2}{5} \times \square = \dfrac{3}{7} \times 14$, $\dfrac{2}{5} \times \square = 6$, $\square = 15$
따라서 $\square$ 안에 알맞은 수가 3인 비례식을 말한 사람은 준희입니다.

4-3 비례식에서 외항의 곱과 내항의 곱은 같으므로
㉮ $\times$ ㉯ $= 6 \times \square$, $108 = 6 \times \square$, $\square = 18$입니다.

111쪽	개념 · 원리 확인

1-1 (1) 25 (2) 25, 50, 10 (3) 10컵
1-2 (1) 540 (2) 540, 1080, 120 (3) 120 g
2-1 (1) $5 : 8 = 35 : \square$에 ○표 (2) 56개
2-2 (1) (○) (2) 80분
( )

1-1 (2) $5 : 2 = 25 : \blacktriangle$ ➡ $5 \times \blacktriangle = 2 \times 25$
$5 \times \blacktriangle = 50$
$\blacktriangle = 50 \div 5 = 10$

1-2 (2) $9 : 2 = 540 : \bullet$ ➡ $9 \times \bullet = 2 \times 540$
$9 \times \bullet = 1080$
$\bullet = 1080 \div 9 = 120$

2-1 (2) $5 : 8 = 35 : \square$ ➡ $5 \times \square = 8 \times 35$
$5 \times \square = 280$
$\square = 280 \div 5 = 56$

다른 풀이

(2) $5 : 8 = 35 : \square$에서 전항이 7배가 되면 후항도 7배가 되어야 하므로 $\square = 8 \times 7 = 56$입니다.

2-2 (2) $20 : 70 = \square : 280$ ➡ $20 \times 280 = 70 \times \square$
$70 \times \square = 5600$
$\square = 5600 \div 70$
$= 80$

113쪽	개념 · 원리 확인

1-1 4, 5, 8 / 1, 5, 32
1-2 3, 8, 50 / 5, $\dfrac{3}{8}$, 30
2-1 7, 18 / $\dfrac{4}{7}$, 24
2-2 $\dfrac{7}{9}$, 28 / 9, 8
3-1 28, 7
3-2 (1) 6, 9 (2) 24, 30

2-1 $42 \times \dfrac{3}{3+4} = 42 \times \dfrac{3}{7} = 18$
$42 \times \dfrac{4}{3+4} = 42 \times \dfrac{4}{7} = 24$

2-2 $36 \times \dfrac{7}{7+2} = 36 \times \dfrac{7}{9} = 28$
$36 \times \dfrac{2}{7+2} = 36 \times \dfrac{2}{9} = 8$

3-1 $35 \times \dfrac{4}{4+1} = 35 \times \dfrac{4}{5} = 28$
$35 \times \dfrac{1}{4+1} = 35 \times \dfrac{1}{5} = 7$

3-2 (1) $15 \times \dfrac{2}{2+3} = 15 \times \dfrac{2}{5} = 6$
$15 \times \dfrac{3}{2+3} = 15 \times \dfrac{3}{5} = 9$
(2) $54 \times \dfrac{4}{4+5} = 54 \times \dfrac{4}{9} = 24$
$54 \times \dfrac{5}{4+5} = 54 \times \dfrac{5}{9} = 30$

1-1 32, 20   **1-2** (1) 16, 8 (2) 9, 15

2-1 (1) 27 / 27, 18 (2) 18 cm

2-2 21 / 21, 105, 15 / 15

3-1 4, 4, 80   **3-2** 2, 2, 6000

연산 9, 36 / 9, 45   **4-1** 36 cm, 45 cm

4-2 14개, 10개   **4-3** 2000 cm²

1-1 $52 \times \dfrac{8}{8+5} = 32$, $52 \times \dfrac{5}{8+5} = 20$

1-2 (1) $24 \times \dfrac{2}{2+1} = 16$, $24 \times \dfrac{1}{2+1} = 8$

(2) $24 \times \dfrac{3}{3+5} = 9$, $24 \times \dfrac{5}{3+5} = 15$

2-1 (1) 비례식을 세우면 $3 : 2 = 27 : \bullet$이고, 외항의 곱과 내항의 곱이 같으므로 $3 \times \bullet = 2 \times 27$입니다.

$3 \times \bullet = 2 \times 27$, $3 \times \bullet = 54$, $\bullet = 54 \div 3 = 18$

2-2 비례식을 세우면 $5 : 7 = \blacktriangle : 21$이고, 외항의 곱과 내항의 곱이 같으므로 $5 \times 21 = 7 \times \blacktriangle$입니다.

$5 \times 21 = 7 \times \blacktriangle$, $7 \times \blacktriangle = 105$, $\blacktriangle = 105 \div 7 = 15$

3-2 $9000 \times \dfrac{2}{2+1} = 9000 \times \dfrac{2}{3} = 6000$(원)

4-1 태형이가 가진 철사는 전체의 $\dfrac{4}{4+5} = \dfrac{4}{9}$이고

석진이가 가진 철사는 전체의 $\dfrac{5}{4+5} = \dfrac{5}{9}$입니다.

➜ 태형: $81 \times \dfrac{4}{9} = 36$ (cm)

석진: $81 \times \dfrac{5}{9} = 45$ (cm)

4-2 지원: $24 \times \dfrac{7}{7+5} = 14$(개)

윤기: $24 \times \dfrac{5}{7+5} = 10$(개)

4-3 (나누기 전 포장지의 넓이) $= 60 \times 40$
$= 2400$ (cm²)

➜ (더 넓은 포장지의 넓이) $= 2400 \times \dfrac{5}{6}$
$= 2000$ (cm²)

1-1 (왼쪽부터) 지름, 원주

1-2 ㉠, ㉢

2-1 (○)(   )   **2-2** 가

3-1 (1) 4, 12, 3 (2) 4, 16, 4 (3) 3, 4

3-2 (1) 정육각형의 둘레

원의 지름

0 1 2 3 4 5 6 7 8 9 10 11 12(cm)

정사각형의 둘레

원의 지름

0 1 2 3 4 5 6 7 8 9 10 11 12(cm)

(2) 3, 4

1-1 • 원 위의 두 점을 이은 선분 중에서 원의 중심을 지나는 선분이므로 원의 지름입니다.
• 원의 둘레이므로 원주입니다.

2-1 원의 지름이 길어지면 원주도 길어집니다.

2-2 원주가 더 짧은 것은 지름이 더 짧은 가입니다.

3-1 (3) 원주는 원의 지름의 3배보다 길고, 원의 지름의 4배보다 짧습니다.

3-2 (1) (정육각형의 둘레) $= 1.5 \times 6 = 9$ (cm)
(정사각형의 둘레) $= 3 \times 4 = 12$ (cm)

1-1 원주율   **1-2** 원주

2-1 3.14   **2-2** 3.14159

3-1 28.26, 9, 3.14   **3-2** 37.2, 12, 3.1

4-1 3.14   **4-2** 3

1-2 원주율은 원의 지름에 대한 원주의 비율이므로 (원주)÷(지름)입니다.

2-1 3.141…… ➜ 3.14
└ 버립니다.

2-2 3.141592…… ➜ 3.14159
└ 버립니다.

정답
풀이

4-1 (원주율)=9.42÷3=3.14

4-2 (원주율)=24÷8=3

기초 집중 연습

1-1 3 **1**-2 3.14

2-1 3.1 **2**-2 3

3-1 ×, ○, × **3**-2 ⑴ ○ ⑵ × ⑶ ○

4-1 예

4-2 다

기초 3 **5**-1 3

5-2 3.1, 3.14 **5**-3 =

1-1 (원주율)=(원주)÷(지름)=39÷13=3

1-2 (원주율)=(원주)÷(지름)=21.98÷7=3.14

2-1 (지름)=5×2=10 (cm)
(원주율)=31÷10=3.1

2-2 (지름)=8×2=16 (cm)
(원주율)=48÷16=3

3-1 원의 지름이 길어지면 원주도 길어집니다.

3-2 ⑵ 원의 크기가 달라져도 원주율은 변하지 않습니다.
⑶ 원주율은 원의 크기와 상관없이 항상 일정합니다.

4-1 원주는 지름의 약 3.14배이므로 지름이 2 cm인 원의 원주는 약 2×3.14=6.28 (cm)입니다.
➔ 자의 6.28 cm 위치와 가까운 곳에 표시하면 됩니다.

4-2 지름이 3 cm인 원의 원주는 지름의 3배인 9 cm보다 길고, 지름의 4배인 12 cm보다 짧으므로 원주와 가장 비슷한 길이는 다입니다.

기초 (원주율)=(원주)÷(지름)
=75.4÷24=3.14166⋯⋯
이므로 반올림하여 일의 자리까지 나타내면 3입니다.

5-1 (원주율)=(원주)÷(지름)=75.4÷24=3.14166⋯⋯
이므로 반올림하여 일의 자리까지 나타내면 3입니다.

5-2 (원주율)=44÷14=3.142⋯⋯
반올림하여 소수 첫째 자리까지 나타내기:
3.14⋯⋯ ➔ 3.1
반올림하여 소수 둘째 자리까지 나타내기:
3.142⋯⋯ ➔ 3.14

5-3 가: 43.96÷14=3.14, 나: 25.12÷8=3.14
➔ (가의 원주율)=(나의 원주율)

누구나 100점 맞는 테스트

1 (○)( ) **2** (위에서부터) 14, 1, 3

3 ⑤ **4** 민하

5 ( )(○) **6** 3.14

7 다 **8** 예 15 : 1

9 8 / 25600원 **10** 56개, 35개

---

1 비율이 같은 두 비를 기호 '='를 사용하여 나타낸 식을 비례식이라고 합니다.

2 비의 전항과 후항을 0이 아닌 같은 수로 나누어도 비율은 같습니다.

3 비의 전항과 후항에 0이 아닌 같은 수를 곱하여도 비율은 같습니다.

4 정우: 원의 크기와 상관없이 (원주)÷(지름)의 값은 항상 일정합니다.

5 왼쪽 모양은 2층 모양이 입니다.

6 (원주율)=21.99÷7=3.141⋯⋯ ➔ 3.14

7 다는 모양이나 모양에 쌓기나무 1개를 더 붙여서 만든 모양입니다.

8 $7.5 : \frac{1}{2}$ ➔ 7.5 : 0.5
➔ (7.5×10) : (0.5×10)
➔ 75 : 5
➔ (75÷5) : (5÷5)
➔ 15 : 1

9 감자 8 kg의 가격을 ■원이라 하여 비례식을 세우면 $3:9600=8:$ ■입니다.

➡ $3\times$■$=9600\times8$, $3\times$■$=76800$, ■$=25600$

10 성주: $91\times\dfrac{8}{8+5}=56$(개)

승연: $91\times\dfrac{5}{8+5}=35$(개)

124~129쪽 **특강** | 창의·융합·코딩

창의**1** 라	창의**2** 4, 8, 8
코딩**3** ○	
창의**4** 3, 같습니다에 ○표	
코딩**5** (예) ➡ ⊗ ↓ ⊗	
융합**6** (예) 6 : 1	
융합**7** 10개	융합**8** (예) 5 : 7
융합**9** 100 g	코딩**10** 150 g

창의**1** 1층 모양으로 쌓은 것은 나, 라이고 이 중에서 쌓기나무 9개를 3층으로 쌓은 모양은 라입니다.

창의**2** ① $2:3=\square:6$
➡ $2\times6=3\times\square$, $3\times\square=12$, $\square=4$
② $7:4=14:\square$
➡ $7\times\square=4\times14$, $7\times\square=56$, $\square=8$
③ $\square:18=4:9$
➡ $\square\times9=18\times4$, $9\times\square=72$, $\square=8$
따라서 문의 비밀번호는 4, 8, 8입니다.

코딩**3** $A:B=C:D$에서 외항의 곱 $A\times D$와 내항의 곱 $B\times C$가 같으면 비례식입니다.
➡ $7:2=21:6$에서 $7\times6=42$, $2\times21=42$로 같으므로 출력되어 나오는 표시는 ○입니다.

창의**4** (아빠의 자전거 바퀴의 원주율)$=72\div24=3$
(엄마의 자전거 바퀴의 원주율)$=60\div20=3$
(정우의 자전거 바퀴의 원주율)$=48\div16=3$

코딩**5** 2층 모양은  이므로 이 모양을 그리는 명령을 기호로 나타내면 ➡ ⊗ ↓ ⊗입니다.

융합**6** (지구에서의 몸무게) : (달에서의 몸무게)
➡ $75:12.5$ ➡ $(75\times10):(12.5\times10)$
➡ $750:125$ ➡ $(750\div125):(125\div125)$
➡ $6:1$

융합**7**

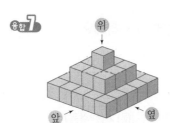

어느 방향에서도 보이지 않는 쌓기나무는 1층에 9개, 2층에 1개입니다.
➡ $9+1=10$(개)

융합**8** 하루는 24시간이므로
(낮의 길이)$=24-14=10$(시간)입니다.
(낮의 길이) : (밤의 길이) ➡ $10:14$
➡ $(10\div2):(14\div2)$
➡ $5:7$

융합**9** (설탕) : (모래) ➡ $\dfrac{3}{4}:\dfrac{3}{5}$ ➡ $\left(\dfrac{3}{4}\times20\right):\left(\dfrac{3}{5}\times20\right)$
➡ $15:12$ ➡ $(15\div3):(12\div3)$
➡ $5:4$

(설탕의 무게)$=180\times\dfrac{5}{5+4}=100$ (g)

코딩**10** 명령을 실행하면 빵 8개와 쿠키 5개를 만들므로 390 g을 8 : 5로 비례배분하여 구합니다.
➡ $390\times\dfrac{5}{8+5}=150$ (g)

✳ 개념 ○✕ 퀴즈 정답

퀴즈1	○	✕
퀴즈2	○	✕

퀴즈1
$\overset{2\times10=20}{\underset{5\times4=20}{2:5=4:10}}$ ➡ 외항의 곱과 내항의 곱이 같으므로 비례식입니다.

4주 · 원의 넓이 / 원기둥, 원뿔, 구

✳ 개념 ○✕ 퀴즈

옳으면 ○에, 틀리면 ✕에 ○표 하세요.

퀴즈 1

(원의 넓이)=(지름)×(원주율)로 구할 수 있어.

○ ✕

퀴즈 2

원기둥에서 서로 평행하고 합동인 두 면을 밑면이라 하고, 두 밑면과 만나는 면을 옆면이라고 해.

○ ✕

정답은 32쪽에서 확인하세요.

132~133쪽	4주에는 무엇을 공부할까?②
1-1 6, 3	**1-2** 10, 5
2-1 6, 12	**2-2** 10, 20
3-1 오각기둥	**3-2** 육각뿔
4-1 우석	**4-2** 태연

2-1 (원의 지름)=(원의 반지름)×2

3-1 밑면의 모양이 오각형이므로 오각기둥입니다.

3-2 밑면의 모양이 육각형이므로 육각뿔입니다.

4-1 각기둥의 밑면과 옆면은 서로 수직으로 만납니다.

4-2 각뿔의 모든 옆면은 한 점에서 만나므로 밑면에 수직이 아닙니다.

135쪽	개념 · 원리 확인
1-1 36 cm	**1-2** 40.3 cm
1-3 62 cm	**1-4** 78.5 cm
2-1 11 cm	**2-2** 5 cm
2-3 15 cm	**2-4** 30 cm

1-1 (원주)=(지름)×(원주율)
$$=12 \times 3 = 36 \text{ (cm)}$$

1-2 $13 \times 3.1 = 40.3$ (cm)

1-3 $20 \times 3.1 = 62$ (cm)

1-4 $25 \times 3.14 = 78.5$ (cm)

2-1 (지름)=(원주)÷(원주율)
$$=33 \div 3 = 11 \text{ (cm)}$$

2-2 $15.7 \div 3.14 = 5$ (cm)

2-3 $46.5 \div 3.1 = 15$ (cm)

2-4 $94.2 \div 3.14 = 30$ (cm)

137쪽	개념 · 원리 확인
1-1 (1) 50 cm² (2) 100 cm² (3) 50, 100	
1-2 (1) 98 cm² (2) 196 cm² (3) 98, 196	
2-1 60, 88 / 60, 88	
2-2 88, 132 / 88, 132	

1-1 (1) $10 \times 10 \div 2 = 50$ (cm²)
　　 (2) $10 \times 10 = 100$ (cm²)

참고

원의 넓이는 원 안에 있는 정사각형의 넓이보다 넓고, 원 밖에 있는 정사각형의 넓이보다 좁습니다.

1-2 (1) $14 \times 14 \div 2 = 98$ (cm²)
　　 (2) $14 \times 14 = 196$ (cm²)

2-1 원의 넓이는 보라색 모눈의 넓이인 60 cm²보다 넓고, 빨간색 선 안쪽 모눈의 넓이인 88 cm²보다 좁습니다.

2-2 원의 넓이는 연두색 모눈의 넓이인 $88\,\text{cm}^2$보다 넓고, 빨간색 선 안쪽 모눈의 넓이인 $132\,\text{cm}^2$보다 좁습니다.

138~139쪽	기초 집중 연습

1-1 31 cm **1-2** 45 cm
2-1 9 cm **2-2** 25 cm
3-1 162, 324 **3-2** 32, 60

기초　1 cm

4-1 $12\times3.14=37.68$, 37.68 cm
4-2 $50\times3.1=155$, 155 cm
4-3 540 cm

1-1 (원주)=(지름)×(원주율)=$10\times3.1=31$ (cm)

1-2 $15\times3=45$ (cm)

2-1 (지름)=(원주)÷(원주율)
　　　=$28.26\div3.14=9$ (cm)

2-2 $75\div3=25$ (cm)

3-1 원의 넓이는 원 안의 정사각형의 넓이인 $162\,\text{cm}^2$보다 넓으므로 $162\,\text{cm}^2<$(원의 넓이)이고, 원 밖의 정사각형의 넓이인 $324\,\text{cm}^2$보다 좁으므로 (원의 넓이)$<324\,\text{cm}^2$입니다.

3-2 (노란색 모눈)=32칸 ➡ $32\,\text{cm}^2$
(빨간색 선 안쪽 모눈)=60칸 ➡ $60\,\text{cm}^2$
➡ 원의 넓이는 노란색 모눈의 넓이인 $32\,\text{cm}^2$보다 넓고, 빨간색 선 안쪽 모눈의 넓이인 $60\,\text{cm}^2$보다 좁습니다.

기초　(원주)=(지름)×(원주율)=$1\times3=3$ (cm)

4-3 (굴렁쇠가 한 바퀴 굴러간 거리)=45×3
　　　　　　　　　　　　　=135 (cm)
(굴렁쇠가 4바퀴 굴러간 거리)=135×4
　　　　　　　　　　　　=540 (cm)

141쪽	개념·원리 확인

1-1 9.42 **1-2** 15.5
2-1 10, 10, 314 **2-2** 15, 15, 697.5
2-3 8, 8, 198.4 **2-4** 9, 9, 254.34
2-5 7, 7, 147 **2-6** 12, 12, 3.1, 446.4

1-1 (가로)=(원주)$\times\dfrac{1}{2}=3\times2\times3.14\times\dfrac{1}{2}=9.42$ (cm)

1-2 $5\times2\times3.1\times\dfrac{1}{2}=15.5$ (cm)

2-5 (반지름)=$14\div2=7$ (cm)

2-6 (반지름)=$24\div2=12$ (cm)

143쪽	개념·원리 확인

1-1 (1) $50.24\,\text{cm}^2$ (2) $12.56\,\text{cm}^2$ (3) $37.68\,\text{cm}^2$
1-2 (1) $12\,\text{cm}^2$ (2) $3\,\text{cm}^2$ (3) $9\,\text{cm}^2$
2-1 (1) $36\,\text{cm}^2$ (2) $27.9\,\text{cm}^2$ (3) 8.1
2-2 (1) $196\,\text{cm}^2$ (2) $153.86\,\text{cm}^2$ (3) 42.14

1-1 (1) $4\times4\times3.14=50.24$ (cm^2)
(2) $2\times2\times3.14=12.56$ (cm^2)
(3) (큰 원의 넓이)−(작은 원의 넓이)
　=$50.24-12.56=37.68$ (cm^2)

1-2 (1) $2\times2\times3=12$ (cm^2)
(2) $1\times1\times3=3$ (cm^2)
(3) (큰 원의 넓이)−(작은 원의 넓이)
　=$12-3=9$ (cm^2)

2-1 (1) $6\times6=36$ (cm^2)
(2) (반지름)=$6\div2=3$ (cm)
(원의 넓이)=$3\times3\times3.1=27.9$ (cm^2)
(3) $36-27.9=8.1$ (cm^2)

2-2 (1) $14\times14=196$ (cm^2)
(2) (두 반원의 넓이의 합)
　=(지름이 14 cm인 원의 넓이)
　=(반지름이 7 cm인 원의 넓이)
　=$7\times7\times3.14=153.86$ (cm^2)
(3) $196-153.86=42.14$ (cm^2)

144~145쪽 · 기초 집중 연습

1-1 48 cm²	1-2 200.96 cm²
2-1 78.5 cm²	2-2 375.1 cm²
3-1 ㉡	3-2 ㉡

기초 (1) $\frac{1}{2}$ (2) 25.12 cm²

4-1 $6 \times 6 \times 3.1 \times \frac{1}{2} = 55.8$, 55.8 cm²

4-2 147 cm²   4-3 9.3 cm²

1-1 (반지름)$=8 \div 2 = 4$ (cm)
(원의 넓이)$=4 \times 4 \times 3 = 48$ (cm²)

1-2 (반지름)$=16 \div 2 = 8$ (cm)
(원의 넓이)$=8 \times 8 \times 3.14 = 200.96$ (cm²)

2-1 $5 \times 5 \times 3.14 = 78.5$ (cm²)

2-2 $11 \times 11 \times 3.1 = 375.1$ (cm²)

3-1 ㉠ (원의 넓이)$=9 \times 9 \times 3.1 = 251.1$ (cm²)
➡ ㉠＜㉡

3-2 ㉠ (반지름)$=30 \div 2 = 15$ (cm)
(원의 넓이)$=15 \times 15 \times 3 = 675$ (cm²)
➡ ㉠＜㉡

기초 (2) (반원의 넓이)$=$(원의 넓이)$\times \frac{1}{2}$
$=4 \times 4 \times 3.14 \times \frac{1}{2}$
$=25.12$ (cm²)

4-1 반원은 원의 $\frac{1}{2}$입니다.

4-2 원의 $\frac{1}{4}$이므로 넓이는 $14 \times 14 \times 3 \times \frac{1}{4} = 147$ (cm²)
입니다.

4-3 원의 $\frac{3}{4}$이므로 넓이는 $2 \times 2 \times 3.1 \times \frac{3}{4} = 9.3$ (cm²)
입니다.

참고
원의 $\frac{1}{4}$을 잘라 낸 도형이므로 남은 부분은 원의
$1 - \frac{1}{4} = \frac{3}{4}$입니다.

147쪽 · 개념 · 원리 확인

1-1 (×)(○)(×)	1-2 가, 다
2-1 (위에서부터) 밑면, 옆면	
2-2 (위에서부터) 밑면, 높이	
3-1 10 cm	3-2 11 cm
4-1 7 cm	4-2 5 cm

1-1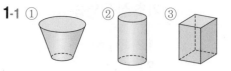

① 두 원이 합동이 아닙니다.
③ 각기둥입니다.

1-2 나는 각뿔입니다.

2-1 서로 평행하고 합동인 두 면을 밑면, 두 밑면과 만
나는 면을 옆면이라고 합니다.

2-2 서로 평행하고 합동인 두 면을 밑면, 두 밑면에 수
직인 선분의 길이를 높이라고 합니다.

3-1 높이는 두 밑면에 수직인 선분의 길이이므로 10 cm
입니다.

4-1 직사각형 모양의 종이를 한 변을 기준으로 돌리면
높이가 7 cm인 원기둥이 만들어집니다.

4-2 직사각형 모양의 종이를 한 변을 기준으로 돌리면
높이가 5 cm인 원기둥이 만들어집니다.

149쪽 · 개념 · 원리 확인

1-1 ( )( )(○)	1-2 다
2-1 (위에서부터) 높이, 밑면	
2-2 ㉠, ㉡	
3-1 8 cm	3-2 10 cm
4-1 37.2 cm	4-2 31.4 cm

1-1 ㉠   ㉡

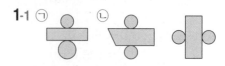

㉠ 두 원이 합동이 아닙니다.
㉡ 옆면이 직사각형이 아닙니다.

1-2 가, 나: 두 원은 합동이지만 옆면이 직사각형이 아닙니다.

2-2 원기둥의 전개도에서 합동인 두 원이 밑면입니다.

3-1 (선분 ㄱㄴ)=(원기둥의 높이)=8 cm

3-2 ㉠=(밑면의 지름)=10 cm

4-1 (선분 ㄱㄹ)=(밑면의 둘레)=12×3.1
  =37.2 (cm)

4-2 (선분 ㄴㄷ)=(밑면의 둘레)=10×3.14
  =31.4 (cm)

1-1 두 밑면에 수직인 선분의 길이는 6 cm입니다.

1-2 두 밑면에 수직인 선분의 길이는 4 cm입니다.

2-1 두 밑면은 합동인 원 모양이므로 반지름이 1 cm인 원 모양 1개를 더 그립니다. 전개도에서 옆면의 세로의 길이는 원기둥의 높이와 같으므로 □=3입니다.

2-2 두 밑면은 합동인 원 모양이므로 반지름이 2 cm인 원 모양 1개를 더 그립니다. 전개도에서 옆면의 가로의 길이는 밑면의 둘레와 같으므로
□=2×2×3=12입니다.

3-1 ㉢ 원기둥의 밑면은 원이고, 각기둥의 밑면은 다각형입니다.

150~151쪽 **기초 집중 연습**

1-1 6 cm **1-2** 4 cm

2-1 예

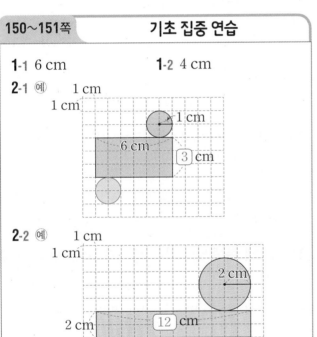

2-2 예

3-1 ㉢ **3-2** ○, ○

기초 밑면, 옆면

4-1 두 밑면은 서로 수직이고 합동입니다.
  ~~평행하고~~

4-2 준희, 예 원기둥의 밑면은 2개이고, 옆면은 굽은 면이야.

4-3 예 위와 아래에 있는 면이 합동이 아니기 때문입니다.

4-4 예 두 원이 합동이 아니기 때문입니다.

153쪽 **개념·원리 확인**

1-1

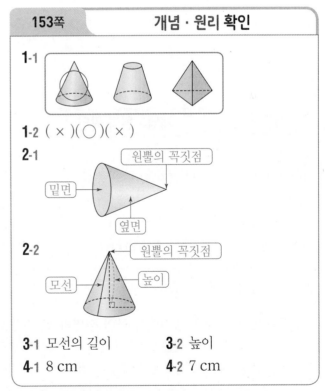

1-2 (×)(○)(×)

2-1

2-2

3-1 모선의 길이 **3-2** 높이
4-1 8 cm **4-2** 7 cm

1-1 평평한 면이 원이고 옆을 둘러싼 면이 굽은 면인 뿔 모양의 입체도형을 찾습니다.

2-1 원뿔에서 평평한 면을 밑면, 옆을 둘러싼 굽은 면을 옆면, 뾰족한 부분의 점을 원뿔의 꼭짓점이라고 합니다.

2-2 원뿔에서 뾰족한 부분의 점을 원뿔의 꼭짓점, 원뿔의 꼭짓점과 밑면인 원의 둘레의 한 점을 이은 선분을 모선, 원뿔의 꼭짓점에서 밑면에 수직인 선분의 길이를 높이라고 합니다.

3-1 원뿔의 꼭짓점과 밑면인 원의 둘레의 한 점을 이은 신분의 길이를 재는 것이므로 모신의 길이를 재는 그림입니다.

3-2 원뿔의 꼭짓점에서 밑면에 수직인 선분의 길이를 재는 것이므로 높이를 재는 그림입니다.

> **참고**
>
> 원뿔의 높이는 삼각자를 원뿔의 꼭짓점에 맞추고, 자는 밑면의 0에 맞추어 삼각자와 자가 직각으로 만나는 눈금을 읽습니다.

4-1 직각삼각형 모양의 종이를 한 변을 기준으로 돌리면 밑면의 반지름이 4 cm인 원뿔이 만들어집니다.
➡ (밑면의 지름)=4×2=8 (cm)

4-2 직각삼각형 모양의 종이를 한 변을 기준으로 돌리면 높이가 7 cm인 원뿔이 만들어집니다.

155쪽	개념 · 원리 확인
1-1 ( )( )(○)	**1-2** 구
2-1 (위에서부터) 구의 반지름, 구의 중심	
2-2 ㉡	
3-1 9 cm	**3-2** 7 cm
4-1 4 cm	**4-2** 10 cm

1-1 공 모양의 도형을 찾습니다.

2-1 구의 반지름: 구의 중심에서 구의 겉면의 한 점을 이은 선분
구의 중심: 구에서 가장 안쪽에 있는 점

3-1 구의 중심에서 구의 겉면의 한 점을 이은 선분은 9 cm입니다.

4-1 반원 모양의 종이를 지름을 기준으로 돌리면 구가 만들어지고 반원의 반지름이 구의 반지름이 되므로 8÷2=4 (cm)입니다.

4-2 반원 모양의 종이를 지름을 기준으로 돌리면 구가 만들어지고 반원의 반지름이 구의 반지름이 되므로 20÷2=10 (cm)입니다.

156~157쪽	기초 집중 연습
1-1 8 cm	**1-2** 6 cm
2-1 12 cm	**2-2** 13 cm
3-1 (위에서부터) 원 / 삼각형, 원	
3-2 예 밑면이 1개입니다.	
기초 (왼쪽부터) 높이, 모선	
4-1 원뿔의 높이는 항상 모선의 길이보다 깁니다. 예 짧습니다.	
4-2 민하, 예 구의 중심에서 구의 겉면에 있는 점까지 이르는 거리는 모두 같아.	
4-3 ㉠, ㉡	

1-1 구의 반지름은 16÷2=8 (cm)입니다.

1-2 구의 반지름은 12÷2=6 (cm)입니다.

2-1 밑면의 반지름이 6 cm이므로 지름은 6×2=12 (cm)입니다.

2-2 원뿔의 꼭짓점에서 밑면에 수직인 선분의 길이는 13 cm입니다.

3-2 '앞에서 본 모양이 삼각형입니다.'도 답이 될 수 있습니다.

4-1 '원뿔의 높이는 항상 모선의 길이보다 깁니다.'로도
       모선의 길이   원뿔의 높이
고칠 수 있습니다.

4-3 ㉢ 구에는 밑면이 없습니다.

159쪽	개념 · 원리 확인
1-1 원뿔, 구에 ○표	**1-2** 원기둥, 원뿔에 ○표
2-1 3, 1, 4	**2-2** 2, 2, 3
2-3 1, 4, 2	**2-4** 1, 2, 3

4-3 원기둥 7개, 원뿔 1개, 구 5개를 사용하여 만든 모양이므로 가장 많이 사용한 입체도형은 원기둥입니다.

1-1

　(예) 세 입체도형을 앞에서 본 모양은 서로 다릅니다.

1-2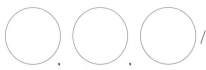

　(예) 세 입체도형을 위에서 본 모양은 모두 원으로 같습니다.

2-1 원기둥, 원뿔 / (예) 밑면의 모양이 원입니다. / (예) 원뿔에는 뾰족한 부분이 있지만 원기둥에는 뾰족한 부분이 없습니다.

2-2 원뿔, 구 / (예) 굽은 면이 있습니다. / (예) 원뿔을 옆에서 본 모양은 삼각형이고 구를 옆에서 본 모양은 원입니다.

1-1 ㉢   **1-2** (○)(　)
                                       (○)(　)

2-1 원뿔, 원기둥   **2-2** 구

3-1 나   **3-2** 나

`기초` 원뿔   **4-1** 원기둥에 ○표, 6

4-2 구, 8개   **4-3** 원기둥

1-1 ㉢ 원기둥과 구는 위에서 본 모양이 원으로 같습니다.

> **참고**
> ㉠ 원기둥은 기둥 모양, 구는 공 모양입니다.
> ㉡ 원기둥을 옆에서 본 모양은 직사각형이고, 구를 옆에서 본 모양은 원입니다.

1-2 꼭짓점: 원기둥과 구에 모두 없습니다.
　굽은 면: 원기둥과 구에 모두 있습니다.

3-1 가: 원기둥과 구만 사용하여 만든 모양입니다.

3-2 가: 원기둥, 원뿔, 구를 모두 사용하여 만든 모양입니다.

4-2 구를 8개 사용하여 만든 모양입니다.

---

1 ㉠, ㉡ / ㉢, ㉣   **2** 5 cm

3 3, 9.42   **4** (1) 7 (2) 8

5 태연   **6** 원뿔

7 수현   **8** ㉡

9 (1) 192 cm^2 (2) 48 cm^2

10

4 cm / 10 cm / 24.8 cm

1 기둥 모양을 찾으면 ㉠, ㉡이고, 뿔 모양을 찾으면 ㉢, ㉣입니다.

2 구의 반지름은 구의 중심에서 구의 겉면의 한 점을 이은 선분이므로 5 cm입니다.

3 (원주) = (지름) × (원주율)
　　　 = 3 × 3.14 = 9.42 (cm)

4 (1) (지름) = (원주) ÷ (원주율)
　　　　 = 21.7 ÷ 3.1 = 7 (cm)
　(2) 24.8 ÷ 3.1 = 8 (cm)

5 우석: 원뿔의 꼭짓점과 밑면인 원의 둘레의 한 점을 이은 선분은 모선입니다.

7 (반지름) = 10 ÷ 2 = 5 (cm)
　(원의 넓이) = 5 × 5 × 3 = 75 (cm^2)

8 ㉠ 구와 원기둥에는 꼭짓점이 없습니다.
　㉡ 구를 앞에서 본 모양은 원이고, 원기둥을 앞에서 본 모양은 직사각형입니다.

9 (1) (원의 넓이) = 8 × 8 × 3 = 192 (cm^2)
　(2) 도형의 넓이는 원의 넓이의 $\frac{1}{4}$입니다.
　➡ (도형의 넓이) = 192 × $\frac{1}{4}$ = 48 (cm^2)

정답 및 풀이

10 (옆면의 세로의 길이)=(원기둥의 높이)=10 cm
(옆면의 가로의 길이)=(밑면의 둘레)
$$=(반지름)\times2\times(원주율)$$
$$=4\times2\times3.1=24.8\ (cm)$$

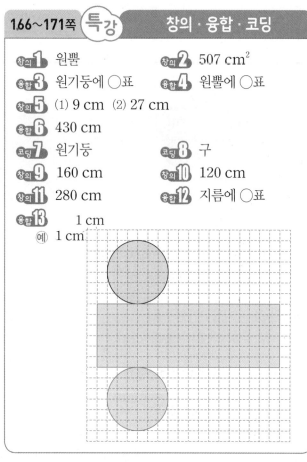

166~171쪽 특강 **창의·융합·코딩**

창의**1** 원뿔		창의**2** 507 cm²	
융합**3** 원기둥에 ○표		융합**4** 원뿔에 ○표	
창의**5** (1) 9 cm (2) 27 cm			
융합**6** 430 cm			
코딩**7** 원기둥		코딩**8** 구	
창의**9** 160 cm		창의**10** 120 cm	
창의**11** 280 cm		융합**12** 지름에 ○표	
융합**13** 1 cm			

예 1 cm

창의**1** 뾰족한 부분이 있었다고 했으므로 뾰족한 부분이 있는 원뿔 모양의 얼음을 밟았습니다.

창의**2** 3개의 쟁반 중 초코 머핀을 블루베리 머핀 옆에 놓지 않으므로 초코 머핀과 블루베리 머핀은 양끝 쟁반에 각각 놓을 것입니다. 이때 블루베리 머핀을 치즈 머핀 옆에 놓을 것이므로 치즈 머핀이 가운데에 있을 것이고, 치즈 머핀을 초코 머핀보다 쿠키 쪽에 가까이 놓을 것이므로 쿠키 옆에 있는 것부터 차례로 블루베리 머핀, 치즈 머핀, 초코 머핀이 놓이게 됩니다. 따라서 초코 머핀을 놓을 쟁반은 반지름이 13 cm인 원 모양이므로 넓이를 구하면 $13\times13\times3=507$ (cm²)입니다.

창의**5** (1) (도넛의 바깥쪽 지름)=(바깥쪽 원주)÷(원주율)
$$=28.26\div3.14$$
$$=9\ (cm)$$

(2) (상자의 한 변의 길이)
$$=(도넛\ 3개의\ 바깥쪽\ 지름의\ 합)$$
$$=9\times3=27\ (cm)$$

융합**6** (나무의 지름)=(둘레)÷(원주율)
$$=1290\div3=430\ (cm)$$

창의**9**
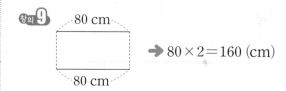
→ $80\times2=160$ (cm)

창의**10**

기차가 굽은 선으로 달린 거리는 지름이 40 cm인 원의 원주와 같습니다.
(원주)=(지름)×(원주율)=$40\times3=120$ (cm)

창의**11** (기차가 한 바퀴 달린 거리)=$160+120$
$$=280\ (cm)$$

융합**13** (원기둥의 밑면의 지름)=(구의 지름)
$$=3\times2=6\ (cm)$$
(전개도 옆면의 가로의 길이)
=(밑면의 둘레)
=(밑면의 지름)×(원주율)
=$6\times3=18$ (cm)
(전개도 옆면의 세로의 길이)
=(원기둥의 높이)
=(구의 지름)=6 cm

✱ 개념 ○✕ 퀴즈 정답

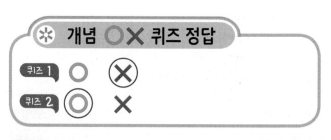

퀴즈**1** ○ ✕
퀴즈**2** ○ ✕

퀴즈**1** (원의 넓이)=(반지름)×(반지름)×(원주율)로 구할 수 있습니다.

찐 천재님들의
거짓없는 솔직 후기

천재교육 도서의 사용 후기를 남겨주세요!

이벤트 혜택

매월

100명 추첨

상품권 5천원권

이벤트 참여 방법

STEP 1
온라인 서점 또는 블로그에 리뷰(서평) 작성하기!

STEP 2
왼쪽 QR코드 접속 후 작성한 리뷰의 URL을 남기면 끝!

※ 상기 내용은 변동될 수 있으며, 자세한 내용은 QR코드 페이지를 참고해주세요.

정답은
이안에
있어！